CW00684356

LES PLUS GRANDS
PERSONNAGES
DE L'HISTOIRE DE FRANCE

LES PETITS PRÉCIS DE CULTURE GÉNÉRALE

Direction de la publication : Carine Girac-Marinier

Direction éditoriale : Christine Dauphant

Édition : Aurélie Prissette

Direction artistique : Cynthia Savage

Mise en pages : Claire Morel Fatio

Iconographie : Agnès Calvo et Marie-Annick Reveillon

Illustration de la couverture : Alain Boyer

Lecture-correction : Chantal Pages, Madeleine Biaujeaud,
Henri Goldszal et Joëlle Narjollet

Fabrication : Martine Toudert

ISBN : 978-2-03-588987-4

LES PLUS GRANDS
PERSONNAGES
DE L'HISTOIRE DE FRANCE

Renaud Thomazo

LAROUSSE

Sommaire

Vercingétorix
vers 72-46 av. J.-C.

Le premier héros de notre histoire nationale est celui que nous connaissons le moins bien, et il n'a été redécouvert qu'au XIXᵉ siècle par des historiens soucieux de donner à la France des figures héroïques propres à galvaniser la nation.

Plus grand que son vainqueur...

Vercingétorix, chef gaulois de la tribu des Arvernes, a su réunir les différents peuples de la Gaule pour les exhorter à résister aux légions de l'envahisseur romain. Vainqueur de César à Gergovie en 52 av. J.-C., il rassemble la même année une puissante armée – de plus de 80 000 guerriers –, retranchée dans l'oppidum d'Alésia. Impuissants à soutenir le siège mis en œuvre par César, et faute d'armée de secours, les Gaulois doivent se résoudre à la reddition. Mais, dans la défaite, Vercingétorix «*est plus grand que son vainqueur*». Peu im-

Statue de Vercingétorix érigée en 1865 sur le site supposé d'Alésia et réalisée par Aimé Millet. À l'image du héros qui a perdu la guerre mais sauvé l'honneur, il garde une posture fière.

Les grands personnages

porte qu'il ait commis l'erreur de se laisser enfermer dans Alésia. Son épopée s'achève glorieusement, même s'il meurt brutalement quelques années plus tard, assassiné dans son cachot, après avoir défilé lors du triomphe de César de retour à Rome.

✒ Un personnage historique

Sous la plume des historiens, la «*guerre des Gaules*» de César est devenue une «guerre d'indépendance», certes perdue, mais qui a révélé une nation en armes, unie face à l'agresseur et rassemblée autour d'un chef. Vercingétorix aurait ainsi su faire taire les divisions qui agitaient les différentes tribus gauloises.

En fait, bon nombre d'entre elles avaient déjà d'importants intérêts économiques avec Rome et se sentaient plus proches de l'«envahisseur» que du chef gaulois.

Mais qu'importe : l'image a été reproduite à l'envi par les manuels scolaires de la IIIe République. Elle appartient davantage à l'esprit revanchard qui a cours avant la Première Guerre mondiale qu'à la réalité historique.

LA STATUE DE VERCINGÉTORIX À ALÉSIA

*É*rigée en 1865 sur le site supposé de la bataille d'Alésia à la demande de Napoléon III, qui s'était pris de passion pour l'épopée de Vercingétorix, la statue du chef des Arvernes, haute de 7 mètres, porte sur son socle cette inscription :

La Gaule unie
Formant une seule nation,
Animée d'un même esprit,
Peut défier l'Univers.

Le sculpteur Millet a donné à Vercingétorix les traits de… l'empereur !

Pourtant elle demeure la mieux ancrée dans les mémoires, reprise par le général de Gaulle pour qui Vercingétorix est «*le premier résistant de l'histoire de France*».

❧ Saint Denis ❧
?-vers 272

Avec ses compagnons Éleuthère et Rustique, il prêcha le christianisme à Paris au IIIe siècle et souffrit le martyre sur la butte qui aujourd'hui encore conserve le souvenir des premiers évangélisateurs.

La légende veut qu'après avoir été décapité Denis se relevât et, la tête sous le bras, poursuivît l'ascension du *mons martyrium*, Montmartre, marchant vers le nord jusqu'à la ville qui porte son nom aujourd'hui.

Devenu l'objet d'une dévotion populaire, saint Denis doit beaucoup au roi mérovingien Dagobert, qui protégea l'abbaye édifiée sur le lieu supposé de son inhumation. Cette dernière abrite les sépultures des rois de France.

SAINT MARTIN DE TOURS
316-397

Jeune officier des légions romaines affecté en Gaule, Martin deviendra la figure tutélaire du christianisme dans une Gaule qui n'est pas encore la France. L'épisode célèbre qui le voit partager son manteau – sa « chappe » ou cape – avec un malheureux transi de froid a donné son nom, depuis Hugues « capé », à la dynastie des Capétiens. Mais Martin, devenu évêque de Tours en 371, est avant tout à l'origine de l'essor de la vie monastique en France et de l'emprise de l'Église sur un pays consacré depuis Clovis comme sa « fille aînée ». Plus de deux cents communes portent aujourd'hui son nom, témoignage éloquent de son influence spirituelle.

Saint Denis apparaît sur ce retable du Parlement de Paris (peinture à l'huile sur bois du milieu du XVe siècle) tenant sa tête dans ses mains, tel que le représente l'imagerie populaire des martyrs chrétiens.

Fort de ses succès, le jeune chef des Francs Saliens, dont le territoire s'étendait de Cologne jusqu'à Tournai et Metz, s'est rendu maître d'un immense empire.

Un chef de guerre

Vainqueur des Romains à Soissons en 486, des Alamans à Tolbiac en 496, des Burgondes en 500 puis des Wisigoths à Vouillé en 507, Clovis peut s'imposer comme seul roi des Francs, non sans avoir pris soin d'éliminer, parfois brutalement, ses rivaux. Partis des rives de la Meuse, les Francs ont conquis un vaste territoire qui s'étend jusqu'à Toulouse ; la terre des Francs, *terra Francorum*, prépare la France…

Un pays gagné à la foi chrétienne

D'autres hommes ont dans le même temps entamé en Gaule une patiente conquête, celle des âmes. À la suite de saint Martin de Tours au siècle précédent, des moines et des évêques ont prêché le christianisme dans une Gaule païenne où ils exercent une influence toujours plus grande.

Clovis l'a bien compris, il sait que les évêques chrétiens sont les représentants d'une grande puissance spirituelle et temporelle qu'il faut donc se concilier. C'est pourquoi il a multiplié les gestes de protection à l'endroit des évêques et de leurs biens. C'est là que s'inscrit l'épisode du vase de Soissons, appartenant à

SAINTE CLOTILDE
vers 475-545

*P*rincesse burgonde et chrétienne, elle a travaillé patiemment à la conversion au christianisme de son époux, étape capitale de l'histoire d'une France qui restera longtemps la « fille aînée de l'Église ».

l'Église, et qu'un guerrier franc a impudemment brisé.

Surtout, Clovis a épousé en 493 Clotilde, une chrétienne. L'alliance avec une princesse burgonde est bien sûr diplomatique, mais constitue déjà un premier pas vers l'union du trône et de l'autel.

« Roi très chrétien »

Le baptême de Clovis ne suffit pourtant pas à en faire le premier roi de France ; l'idée s'est patiemment construite aux siècles suivants : les sacres de Pépin le Bref, de Charlemagne puis d'Hugues Capet, qui tous faisaient référence au baptême de Clovis, ont permis d'assimiler celui-ci à l'onction sacrée d'un individu et d'une fonction.

Cette construction « à rebours » de l'histoire fera pour longtemps de Clovis le premier des rois « très chrétiens » qui régneront sur la France.

Sur cette tapisserie du XVIe siècle, Clovis, roi des Francs, est baptisé dans la cathédrale de Reims par saint Remi.

⚜ Dagobert ⚜
vers 600-638

*S'il n'a dirigé seul le royaume des Francs que durant sept ans, de 632
à sa mort à l'âge de quarante ans, Dagobert fut sans conteste le plus
brillant des rois mérovingiens – la plupart d'entre eux n'ayant laissé à
la postérité que le souvenir de « rois fainéants ».*

Protecteur de l'Église, et particulièrement de l'abbaye de Saint-Denis
qu'il dota d'importants privilèges, administrateur prudent sachant
s'entourer de conseillers habiles (saint Éloi, saint Ouen), il donna
son lustre – éphémère – à la dynastie mérovingienne et gouverna un
royaume bien plus vaste que celui des rois de France à venir. L'his-

toire ne lui en saura pas gré,
préférant moquer les frasques
libertines d'un roi « *enflammé
de sales désirs* ». Quant à la
célèbre chanson, il en est le
héros malgré lui, celle-ci datant en effet du XVIIIe siècle.
Destinée à tourner en ridicule
Louis XVI dont le nom dispa-
raissait au profit de celui de
Dagobert pour éviter la cen-
sure, elle fut ensuite reprise
par les royalistes pour s'en
prendre à Napoléon.

*Le roi Dagobert attribue à saint Omer
l'évêché de Thérouanne sur cette miniatu[re]
du XIe siècle, car les Mérovingiens
sont les véritables chefs de l'Église.*

⚜ Les grands personnages ⚜

Charles Martel
vers 688-741

Profitant de l'affaiblissement du pouvoir mérovingien, les maires du palais, véritables chefs de l'administration, ont pris le pas sur les « rois fainéants », qui gouvernaient si peu.

Charles Martel est l'un d'eux, entré dans l'histoire après sa victoire sur les Arabes – qui ont ravagé l'Aquitaine avant de se diriger vers l'opulente abbaye de Saint-Martin de Tours. La bataille de Poitiers en 732 ne fut peut-être pas un haut fait d'armes, mais, amplifiée par les chroniques, elle devint rapidement un symbole : celui de la défense de la foi contre les infidèles. Auréolé de son statut de protecteur de la chrétienté, restaurateur de l'unité du royaume des Francs, Charles Martel peut préparer ses fils à lui succéder et à gouverner en lieu et place des rois mérovingiens. L'un d'eux, Pépin le Bref, déposera le dernier des « rois fainéants » pour se faire sacrer roi.

Charles Martel, statue de Debay datant du XIXᵉ siècle.

Charlemagne

742 ou 747-814

Le fils de Pépin le Bref et de Berthe au grand pied devient, dès la mort de son frère Carloman en 771, le seul maître du royaume des Francs, qu'il n'aura de cesse de défendre contre les périls qui le menacent.

Le long règne de Charles «le Grand» sera marqué d'incessantes campagnes militaires qui lui permettront de bâtir un formidable empire. Charles soumet d'abord les Lombards dans le nord de l'Italie et se fait le protecteur du pape. En Espagne, il renforce la frontière, mais perd son arrière-garde au col de Roncevaux à son retour d'expédition. À l'est, il lui faut des années pour venir à bout des Saxons, qu'il contraint brutalement à se convertir.

Ultime campagne à l'est encore, en 795, qui le voit triompher des Avars, mettant la main sur un énorme butin dont une partie sera consacrée à l'embellissement de Saint-Pierre de Rome.

Charlemagne est sacré empereur

Roi très chrétien, Charles est encouragé par le pape à restaurer la charge impériale disparue en 476 avec l'effondrement de Rome. C'est pour l'Église l'occasion de renforcer son autorité, protégée par celui qui s'est fait son champion. Le jour de Noël de l'an 800, Charles est couronné empereur d'Occident à Rome ; le voici désormais Charles le Grand, *Carolus Magnus*, «Charlemagne», nouvel Auguste couronné «par la grâce de Dieu grand et pacifique empereur gouvernant l'Empire romain, roi des Francs et des Lombards».

L'administration, outil de la puissance impériale

Ce ne sont pas tant les succès militaires de Charlemagne que son administration qui en ont fait le plus puissant prince d'Occident. Depuis sa capitale, qu'il a fixée à Aix-la-Chapelle, il gouverne un

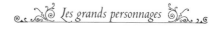

Les grands personnages

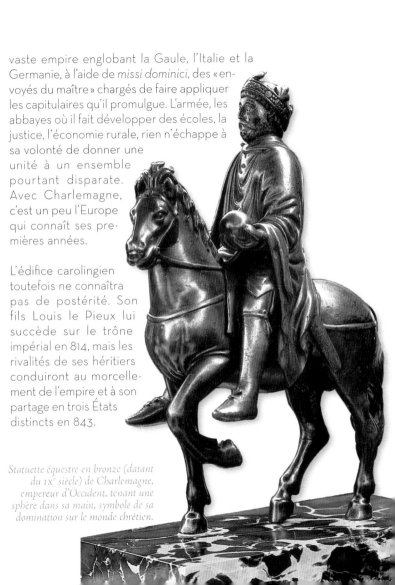

vaste empire englobant la Gaule, l'Italie et la Germanie, à l'aide de *missi dominici*, des « envoyés du maître » chargés de faire appliquer les capitulaires qu'il promulgue. L'armée, les abbayes où il fait développer des écoles, la justice, l'économie rurale, rien n'échappe à sa volonté de donner une unité à un ensemble pourtant disparate. Avec Charlemagne, c'est un peu l'Europe qui connaît ses premières années.

L'édifice carolingien toutefois ne connaîtra pas de postérité. Son fils Louis le Pieux lui succède sur le trône impérial en 814, mais les rivalités de ses héritiers conduiront au morcellement de l'empire et à son partage en trois États distincts en 843.

Statuette équestre en bronze (datant du IXe siècle) de Charlemagne, empereur d'Occident, tenant une sphère dans sa main, symbole de sa domination sur le monde chrétien.

Hugues Capet
vers 941-996

Fondateur d'une dynastie qui régnera sur la France durant huit cents ans, Hugues n'est d'abord qu'un vassal du roi des Francs.

Il est le plus puissant des ducs de Francie occidentale quand les souverains carolingiens ont perdu toute véritable autorité. S'emparer du pouvoir est alors une formalité quand meurt Louis V en 987.

Un roi « élu » et « sacré »

Pour contrer les ambitions du prétendant au trône, Hugues rallie à ses intérêts les autres barons francs et l'archevêque de Reims Adalbéron qui le fait proclamer roi : « Le trône ne s'acquiert point par droit héréditaire, et l'on doit mettre à la tête du royaume celui qui se distingue par la noblesse corporelle et par les qualités de l'esprit. » Ses pairs élisent donc Hugues, proclamé « *roi des Gaulois, Bretons, Danois [Normands], Aquitains, Goths, Espagnols et Gascons* ».

Le dernier Carolingien, Charles de Lorraine, est alors dépossédé de ses droits héréditaires. Coup d'État ? Sans doute, mais coup de génie également quand le roi « *élu* » se fait sacrer « *par faveur divine* », en même temps qu'il fait sacrer son fils. La dynastie des Capétiens s'installe pour plusieurs siècles.

Hugues Capet représenté dans les Chroniques de Saint-Denis au XIVe siècle.

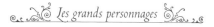

Les grands personnages

Guillaume le Conquérant
vers 1028-1087

« Le Bâtard » de Normandie devient « le Conquérant » en 1066 après sa victoire à Hastings sur Harold d'Angleterre.

Une couronne promise...

Déjà duc de Normandie, son mariage avec Mathilde, fille du comte de Flandre et nièce du roi de France Henri Ier a conforté sa puissance ; il rêve alors de ceindre la couronne d'Angleterre que lui a promise Édouard le Confesseur. Mais la succession de ce dernier est disputée, Guillaume décide alors de faire valoir ses droits par la force.

À l'origine des conflits avec la France

Vainqueur à Hastings des troupes d'Harold, il soumet l'Angleterre à l'autorité normande. Dès lors, la Couronne anglo-normande ne cessera de se poser en rivale sérieuse du royaume de France, dont elle s'affranchira progressivement avant de le menacer ouvertement. La conquête de Guillaume, outre qu'elle modifie en profondeur les structures politiques et culturelles de l'Angleterre, annonce des siècles de conflits entre les deux pays.

Ce sceau illustre bien les deux « faces » de Guillaume le Conquérant : d'un côté le chevalier combattant à Hastings, de l'autre, le roi d'Angleterre succédant à Édouard le Confesseur.

Aliénor d'Aquitaine
1122-1204

Duchesse d'Aquitaine, deux fois reine, de France puis d'Angleterre, mère de deux rois d'Angleterre et grand-mère de Blanche de Castille, elle est « la grande dame du Moyen Âge ».

Son mariage avec Louis VII a tourné court, et elle épouse en 1152 Henri Plantagenêt, comte d'Anjou, duc de Normandie, et surtout prochain roi d'Angleterre. Quand Henri ceint la couronne en 1154, il est à la tête d'un empire immense qui va des frontières de l'Écosse aux Pyrénées, à l'administration duquel Aliénor prend largement part.

Une protectrice des arts

Femme libre, soucieuse de préserver les droits de ses fils – les futurs Richard Cœur de Lion et Jean sans Terre – contre son mari avec qui elle entre bientôt en conflit, elle installe sa cour à Poitiers, qui devient, sous l'impulsion de cette femme lettrée, le centre de diffusion

d'un nouveau style poétique : la « fin'amor », qui établit les bases de l'amour courtois. Aliénor d'Aquitaine s'éteint en mars 1204 à l'abbaye de Fontevraud, dont elle s'était faite la protectrice.

Aliénor d'Aquitaine en prière avec le roi Louis VII sur une enluminure des Grandes Chroniques de France (XIVe siècle) demande un fils au Seigneur.

Philippe Auguste
1165-1223

Le plus grand des Capétiens donne son lustre à la dynastie
au terme d'un long conflit qui le voit triompher du rival anglais.

La longue lutte de Philippe Auguste contre Richard Cœur de Lion – avec lequel il était parti en croisade – puis contre Jean sans Terre s'achève en 1204 avec la prise de Château-Gaillard. La Normandie redevient française. Mais la puissance du souverain est telle que l'empereur germanique met sur pied une coalition avec les Anglais destinée à l'affaiblir.

La bataille de Bouvines

Le Capétien triomphe de ses ennemis, à Bouvines, le 27 juillet 1214. Date capitale de l'histoire de France, Bouvines est cette journée « qui a fait la France » en rassemblant la chevalerie française sous l'étendard de son roi ; c'est à Bouvines qu'apparaît pour la première fois un sentiment national.

Un domaine royal considérablement augmenté

La grandeur de Philippe Auguste, c'est avant tout la grandeur du domaine royal qui, par ses alliances et ses conquêtes, a été multiplié par quatre.

C'est aussi l'affermissement du pouvoir qui passe par une profonde réorganisation des structures administratives du royaume. Sans briser les hiérarchies féodales, Philippe Auguste centralise plus encore et impose son autorité à des vassaux qui désormais ne sont plus en mesure de la lui contester. Enfin, il donne toute sa place de capitale à Paris, qu'il agrandit, embellit, et où il fait bâtir le Louvre. À sa mort, en 1223, son fils Louis VIII le Lion hérite du royaume le plus puissant d'Occident, qu'il arrive à étendre encore plus.

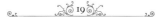

❧ Saint Louis ❧
1214-1270

*On a conservé de Louis IX, petit-fils de Philippe
Auguste, l'image d'un « roi-prêtre », devenu
Saint Louis dès 1297, moins de trente ans
après sa mort.*

❧ Captif des musulmans

Roi pieux, animé d'un véritable souci de la
justice, il a été ce souverain *« très chrétien »*
dont la sagesse - mais aussi l'héritage d'un
royaume fort et puissant - a épargné le plus
qu'il était possible à ses sujets les malheurs de
la guerre. S'il doit soutenir le combat, c'est en
Terre sainte qu'il le fait, dès 1248, en prenant
la tête de la septième croisade, qui échoue à
reprendre Jérusalem. Captif des musulmans,
libéré contre paiement d'une énorme rançon,
Louis IX retrouve en 1252 un royaume dont il
avait confié la régence à sa mère, Blanche de
Castille, qui vient de mourir.

Soucieux d'en réformer les structures et de
moraliser les pratiques, il instaure un nouvel
ordre qui s'appuie sur le dialogue et le conseil
avisé de son entourage, sans affaiblir pour autant l'autorité royale, qui plus que jamais avec
ce roi chrétien repose sur l'onction du sacre.

*Sculpture de Saint Louis en bois polychrome (XIIIe-XIVe
siècles). Il reste une des figures les plus prestigieuses de la
monarchie et c'est le seul roi de France à avoir été canonisé*

❧ Un roi trop chrétien...

Peut-être peut-on lui reprocher d'avoir été trop chrétien, car, pénétré de sa mission divine, Saint Louis s'est montré parfois d'une dévotion excessive : mesures à l'encontre des Juifs, persécution des derniers «hérétiques» cathares, intolérance envers les musulmans... Toujours préoccupé par les événements de Terre sainte, Saint Louis embarque pour une huitième croisade en 1270, expédition qui se soldera par un échec cuisant et la mort du roi devant Tunis.

❧ Sous son chêne

Une image a traversé les siècles : celle du roi rendant la justice sous le chêne de Vincennes. Même si elle appartient à la propagande, Louis IX a gouverné avec prudence, ce qui lui a valu une telle faveur dans les manuels d'histoire républicains et laïcs.

Voltaire déjà estimait qu'il «*sut accorder une politique profonde avec une justice exacte, et peut-être est-il le seul souverain qui mérite cette louange*».

BLANCHE DE CASTILLE
1188-1252

*R*égente durant la minorité de Louis IX, «*elle gouverna sagement et habilement le royaume, et sut défendre la couronne de son fils contre l'ambition des grands*», nous rappelaient les manuels scolaires. Mais Blanche de Castille, qui jugula effectivement la fronde des barons durant la minorité du roi, fut avant tout une mère possessive qui maintint son fils sous une redoutable férule et exerça toujours les fonctions de reine mère. Son caractère l'inclinait même à s'immiscer dans les affaires conjugales de son chaste fils, et elle mena une vie épouvantable à sa belle-fille, Marguerite de Provence.

*Sa postérité a été assombrie par la légende des « rois maudits ».
Pourtant le petit-fils de Saint Louis, monté sur le trône en 1285,
a su faire face avec une poigne de fer à de nombreux périls.*

*Sur cette miniature du début du xiv⁴ siècle, Philippe IV le Bel est entouré
de sa famille (de gauche à droite) : ses fils Louis et Philippe, sa fille Isabelle,
le roi, son frère Charles de Valois et son troisième fils Charles.*

On le dit secret, taciturne et parfois brutal, mais il est avant tout
conscient de sa charge : souverain du plus puissant pays de la chrétienté,
il entend bien demeurer « *seul maître en son royaume* ». Il lui faut pour
cela contenir les ambitions anglaises, dont les possessions continentales
sont toujours une menace. Au nord, c'est le comté de Flandre qui s'agite
et inflige à la chevalerie française la cuisante défaite de Courtrai.

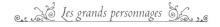

En conflit avec la papauté

Mais le pire ennemi de Philippe le Bel, c'est le pape, Boniface VIII. Entre les deux hommes se joue un long et âpre conflit qui met aux prises le temporel et le spirituel, et dont Philippe le Bel sort vainqueur. C'en est fini des prétentions du Saint-Siège à la prééminence sur la couronne de France !

Un royaume en crise

Autre difficulté : les finances, qu'une politique coûteuse a dangereusement affaiblies. Philippe le Bel renfloue les caisses comme il le peut, le plus souvent par des procédés mal acceptés (taxes, emprunts, dévaluations au point que le roi est qualifié de « *faux-monnayeur* ») et qui ne suffisent pas. Les dernières années du règne sont calamiteuses, marquées par le procès des Templiers et le scandale de la tour de Nesle dans lequel sont compromises les belles-filles du roi.

À la mort de Philippe le Bel, en 1314, une crise dynastique s'annonce, comme une malédiction qui pèserait sur le royaume.

LES ROIS MAUDITS

*F*aute de descendance, les trois fils de Philippe le Bel – Louis X le Hutin, Philippe V le Long et Charles IV le Bel – régneront successivement. Mais à la mort de Charles IV, en 1328, la lignée masculine directe des Capétiens s'éteint. Le seul héritier de la couronne est… anglais !

Est-ce le fruit de la malédiction proférée par Jacques de Molay, le grand maître des Templiers, sur son bûcher ? « *Roi Philippe, avant un an je vous ajourne à comparaître au tribunal de Dieu. Soyez maudits, vous et votre descendance !* »

On interprète alors très librement une vieille loi salique qui écarte les femmes. C'est un Valois, Philippe VI, neveu de Philippe le Bel, qui monte sur le trône.

Fils d'un roi (Jean II le Bon) fait prisonnier par les Anglais, héritier en 1364 d'un royaume en proie à la guerre de Cent Ans, Charles V substitue aux vertus guerrières la sagesse d'un souverain cultivé et d'un politique prudent.

Ces qualités lui permettront de «réparer» un royaume «battu et désolé». Pour ce faire, il confie le commandement des armées à des chevaliers hors pair. Ainsi Du Guesclin parvient-il, sinon à chasser les Anglais, du moins à freiner leurs ambitions en reconquérant une bonne part des terres perdues et à débarrasser le pays des compagnies de mercenaires qui le pillaient.

BERTRAND DU GUESCLIN
vers 1320-1380

Soldat loyal au roi Charles V, ce Breton remporte sur les Anglais la victoire de Cocherel en 1364 avant de débarrasser le royaume des Grandes Compagnies. Fait connétable de France en 1370, il reconquiert le Maine, l'Anjou puis le Poitou et une grande partie de l'Aquitaine. Il est emporté par la maladie sous les remparts de Châteauneuf-de-Randon. La décision de Charles V de l'inhumer parmi les rois dans la basilique de Saint-Denis témoigne de sa popularité.

Moderniser l'administration

Le nerf de la guerre est une préoccupation constante de Charles V, qui met en œuvre une politique fiscale certes lourde, mais que sa popularité permet de faire bien accepter. Considéré comme le «père de l'impôt», il a été le modernisateur d'une administration royale capable de juguler le péril anglais. Quand il meurt, en 1380, seules les villes de Calais et de Cherbourg ainsi qu'une partie de la Guyenne appartiennent encore à la couronne d'Angleterre.

Le roi Charles V est représenté avec sa cour dans une miniature du
Manuscrit des hommages du comté de Clermont-en-Beauvoisis (1375).

Charles VI
1368-1422

Charles VI le Bien-Aimé (roi de 1380 à 1422) est surtout Charles « le Fol », que la maladie empêchera de régner pleinement.

Monté sur le trône à douze ans, il doit s'effacer devant ses oncles Philippe, duc de Bourgogne, Louis, duc d'Anjou, et Jean, duc de Berry, dont les dissensions vont semer le désordre dans le royaume. En 1388, à vingt ans, Charles VI remercie ces derniers pour gouverner seul et redresser les affaires de l'État avec ses conseillers.

Mais la folie le frappe à partir de 1392. Charles « le Fol » ne pourra éviter la guerre civile entre Armagnacs et Bourguignons, ni l'irruption dans le conflit du roi d'Angleterre Henri V, déterminé à faire valoir ses droits sur la couronne de France.

La désastreuse défaite d'Azincourt, en 1415, et le « honteux traité » de Troyes, en 1420, livrent la France aux Anglais.

Cette miniature des Grandes Chroniques de France (1475-1479) représente Charles VI couronné par le clergé et la noblesse, quand le peuple est contenu par des huissiers.

Charles VII

1403-1461

Dans la tourmente de la guerre de Cent Ans à laquelle il parvient à mettre fin, le « soi-disant dauphin » faillit ne jamais régner.

Exclu du trône de France par le traité de Troyes, il est contraint de fuir Paris - occupé par les Bourguignons - et doit s'installer à Bourges pour se mettre à l'abri des Anglais. S'il se proclame roi de France à la mort de son père Charles VI en 1422, ce n'est que lors de son sacre à Reims, sept ans plus tard, qu'il trouve une légitimité.

Monnaie d'or frappée à l'effigie de Charles VII.

Avec l'appui de Jeanne d'Arc et d'Agnès Sorel

Il doit son surnom de Charles « le Bien Servi » à deux femmes : Jeanne d'Arc, qui lui montra la voie de la reconquête d'un royaume en péril, et Agnès Sorel, la « Dame de Beauté », première maîtresse officielle d'un roi de France, qui sut révéler sa détermination politique. Mais le redressement du royaume a un prix. Pour parvenir à un compromis avec le parti bourguignon et conclure la paix avec les Anglais, Charles VII n'hésitera pas à sacrifier la « Pucelle d'Orléans » à laquelle il doit tant.

Grâce à des conseillers avisés - notamment Jacques Cœur, qui le soutient financièrement -, il réorganise son armée pour combattre les Anglais. Après la reconquête du royaume, ces derniers ne conservent que Calais. Charles VII renforce aussi le pouvoir royal face au clergé et aux grands féodaux et relance l'activité économique.

❧ Jeanne d'Arc ❧
1412-1431

Mystérieuse héroïne de l'histoire que cette jeune femme
mal connue dont la brève épopée va permettre à la France
de se relever des désastres de la guerre de Cent Ans.

Le royaume de France semble connaître les pires heures de son histoire. Déchiré par la guerre civile que se mènent les Armagnacs et les Bourguignons, humilié par la déroute d'Azincourt en 1415, dirigé par un roi « fol », le pays est, en 1420, livré aux Anglais par le « honteux traité de Troyes ».

❧ Le début d'une histoire légendaire…

C'est alors qu'une jeune bergère – en fait la fille d'un cultivateur aisé – entend les « voix » de sainte Catherine, de sainte Marguerite et de saint Michel qui l'exhortent à se porter au secours du roi de France. Faisant le vœu de demeurer vierge, elle se fait alors appeler « Jeanne la Pucelle » et part à Chinon pour y être reçue par Charles VII.

❧ Reconnaître le roi

Si le roi de France est à Chinon, et parfois à Bourges, c'est que Paris est aux mains des Anglais et de leurs alliés bourguignons, comme une grande partie de la France. Charles VII n'est d'ailleurs pas roi officiellement, il n'est que le « soi-disant dauphin » dont la légitimité n'a pas été reconnue.

Lors de son entrevue à Chinon le 6 mars 1429, Jeanne fait forte impression. N'a-t-elle pas reconnu le dauphin sans l'avoir jamais vu auparavant alors qu'il s'était mêlé à la foule des courtisans ? *« Gentil dauphin, lui dit-elle, j'ai nom Jeanne la Pucelle, et vous mande le roi des cieux par moi que vous serez sacré et couronné dans la ville de Reims et vous serez lieutenant du roi des cieux qui est roi de France. »*

Les grands personnages

Jeanne d'Arc semble se préparer pour le combat – avec armure, épée et étendard – sur cette miniature du XVᵉ siècle.

GILLES DE RAIS
1404-1440

Le plus brave sans doute des compagnons de Jeanne d'Arc fut héros puis monstre, et reste aujourd'hui le plus grand criminel de l'histoire de France. Éprouvé par des années passées sur les champs de bataille, Gilles de Montmorency-Laval, comte de Brienne et baron de Rais, maréchal de France, s'est retiré sur ses terres bretonnes où il se livre sans frein à ses penchants morbides.

Accusé d'avoir tué « 140 enfants de traîtreuse, cruelle et inhumaine façon » sans qu'on sache le nombre exact de ses victimes, il expie ses crimes le 26 octobre 1440 à Nantes.

Charles accepte alors de lui confier une armée pour libérer Orléans assiégée depuis sept mois ; elle y parvient en quelques jours seulement. Puis ce sont les victoires de Jargeau, de Meung-sur-Loire, de Beaugency, de Patay qui permettent au dauphin d'entrer triomphalement dans Reims et d'y être sacré le 17 juillet 1429.

❧ Des victoires militaires au bûcher

Jeanne conduit ensuite « l'armée du sacre » devant Paris qu'elle échoue à reprendre, avant de se porter au secours de Compiègne menacée par les Bourguignons. Elle y est capturée le 24 mai 1430, et bientôt livrée aux Anglais. Charles VII, qui a entamé des négociations en vue d'une paix possible et signé une trêve avec le duc de Bourgogne, choisit d'abandonner Jeanne à son sort.

❧ Condamnée pour hérésie puis... canonisée

Condamnée pour hérésie au terme d'un procès de quatre mois, Jeanne d'Arc est brûlée vive sur la place du Vieux-Marché de Rouen le 30 mai 1431. Charles VII demandera longtemps après une révision

Habillée d'une simple robe, Jeanne d'Arc comparaît devant le tribunal ecclésiastique qui va la condamner au bûcher pour hérésie.

du procès, et Jeanne sera officiellement « *déchargée et disculpée* » le 7 juillet 1456. Mais ce n'est que le 16 mai 1920 qu'elle sera canonisée.

LA HIRE
1390-1443

S i Charles VII est le roi de cœur de nos jeux de cartes, La Hire en est le valet de cœur. Avec Xaintrailles et Dunois, Étienne de Vignolles, surnommé « la hire » (la colère) par les Anglais, compte parmi les plus téméraires compagnons de la « Pucelle », qu'il accompagne dans toutes ses chevauchées et qu'il tente de libérer à Rouen. Son surnom est resté associé à l'héroïque épopée de Jeanne d'Arc.

Devenue héroïne nationale à partir du XVIIIe siècle, célébrée par tous, laïcs ou catholiques, royalistes ou républicains, Jeanne est une figure incontournable de l'histoire de France. Son aventure n'a duré que deux ans à peine, et, malgré de nombreux livres à son sujet, les historiens aujourd'hui ne s'expliquent toujours pas de façon satisfaisante le « miracle » de la Pucelle d'Orléans.

☙ *Louis XI* ❧
1423-1483

Le fils de Charles VII tient une place à part dans l'histoire
de France. Souverain cruel et fourbe pour certains,
il est ce « grand roi qui fut un méchant homme ».

Entré tôt en conflit avec son père, il trouva refuge auprès du duc de Bourgogne Philippe le Bon avant de monter sur le trône de France en 1461 à l'âge de trente-huit ans.

☙ Un grand rival

Le duché de Bourgogne pourtant sera par la suite son grand rival, qu'il n'aura de cesse d'affaiblir par ses manœuvres diplomatiques et militaires, jusqu'à venir à bout des ambitions du fils de Philippe le Bon, le

Souvent représenté sous des traits durs – voire même disgracieux – comme sur cette peinture du XVIIᵉ siècle, Louis XI a marqué ses contemporains par sa volonté politique farouche.

célèbre Charles le Téméraire. Outre la Bourgogne, la Provence, la Picardie, l'Anjou et le Maine sont rattachés plus solidement au royaume de France qu'il a définitivement redressé après les malheurs de la guerre de Cent Ans.

✠ Puissance et fragilité

L'affaiblissement des grandes maisons féodales, qui préfigure l'avènement de la monarchie absolue, aura été son grand œuvre, mais l'histoire a également

CHARLES LE TÉMÉRAIRE
1433-1477

*H*éritier d'un duché de Bourgogne que la guerre de Cent Ans a érigé en dangereux vassal du roi de France, Charles le Téméraire compte parmi les plus grands princes d'Occident dont le faste de la cour éclipse celui des Capétiens.

Il ne pourra pourtant pas empêcher Louis XI de patiemment « tisser sa toile » autour d'un duché qu'il gagne définitivement après la bataille de Nancy, en janvier 1477, au cours de laquelle le Téméraire trouve la mort.

conservé de Louis XI l'image d'un politique retors, fourbe, usant de tous les moyens pour parvenir à ses fins, que ses ennemis appelaient l'« universelle araigne ».

Ainsi, les manuels d'histoire se souviennent qu'il tenait enfermés ses prisonniers, dans des cages de fer (ses « fillettes »). Son caractère anxieux et superstitieux, sa peur irrépressible de la mort et du complot, sa santé fragile comme sa silhouette malingre ne doivent pas faire oublier qu'à sa mort, survenue en 1483, il laisse un royaume prospère et plus puissant que jamais.

Louis XI n'avait pas la carrure d'un roi chevalier, mais il fut le premier des rois modernes, et c'est véritablement avec lui que prend fin le Moyen Âge.

François Iᵉʳ
1494-1547

*Poursuivant la politique italienne de ses prédécesseurs,
François Iᵉʳ inaugure son règne en 1515 par la victoire
éclatante de Marignan, encore connue de tous.*

À long terme, ce succès contre les Suisses n'apportera pourtant rien
au royaume de France, car François Iᵉʳ devra renoncer à son « rêve
italien » et abandonner le Milanais dix ans plus tard, après la désastreuse défaite de Pavie, à l'issue de laquelle « tout est perdu fors
l'honneur »... Le roi est prisonnier de son grand rival Charles Quint,
qui a ravi la couronne du Saint Empire que le roi de France convoi-
tait. François Iᵉʳ ne sera pas plus heureux avec le roi d'Angleterre
Henri VIII, qui refusera toujours
toute alliance permettant au roi
de France d'affronter l'empereur, malgré le faste déployé
lors de l'entrevue du Camp du
Drap d'or.

❧ Le roi d'une époque nouvelle

Si, malgré ces revers militaires
et diplomatiques, François Iᵉʳ
demeure en si bonne place dans
le panthéon des rois de France,
c'est bien sûr parce qu'il fut le
grand roi de la Renaissance,
protecteur des arts et des
lettres. Bâtisseur des châteaux
de Chambord, de Blois et de
Fontainebleau, il invite à sa cour

LE CHEVALIER BAYARD
1476-1524

Pierre Terrail de Bayard, le
« *Chevalier sans peur et sans
reproche* », incarne l'idéal chevaleresque du Moyen Âge, dont il serait,
à l'aube des temps modernes, l'ultime dépositaire. Héros des guerres
d'Italie, il est fait chevalier à For-
noue en 1495 et s'illustre en 1503,
défendant seul le pont du Garigliano
contre deux cents Espagnols. Au soir
de Marignan, François Iᵉʳ se fit armer
chevalier par Bayard, qui resta loyal
au roi jusqu'à sa mort au combat.

Léonard de Vinci avec lequel il s'est lié d'amitié.

Avec l'ordonnance de Villers-Cotterêts, en 1539, il généralise l'usage du français dans les textes officiels, au détriment du latin. Roi mécène et cultivé, roi chevaleresque adoubé par Bayard au soir de Marignan, François Ier fut également un prince galant qui fit des dames « le plus bel ornement » de sa cour.

François Ier par l'écrivain Fénelon

« *J'ai soutenu une horrible guerre contre Charles Quint, empereur et roi d'Espagne. J'ai vu le roi d'Angleterre, ligué avec l'empereur contre la France, et j'ai rendu leurs efforts inutiles. J'ai cultivé les sciences ; j'ai mérité d'être immortalisé par les gens de lettres ; j'ai fait revivre les arts au milieu de ma cour. J'y ai mis la magnificence, la politesse et le Savoir. Avant moi, tout était grossier, pauvre, ignorant, gaulois.* » (« Louis XII et François Ier », in *Dialogues des morts*, François de Fénelon, 1712)

❧ *Henri II* ❧
1519-1559

Roi de France de 1547 à 1559, Henri II n'était pourtant pas appelé à régner. La mort prématurée de son frère aîné révèle un prince guerrier digne de son père, François Ier.

Comme son père, Henri II mènera une lutte constante contre Charles Quint, dont il avait été otage dans son enfance, et contre l'éternel rival anglais. Son grand dessein : imposer une paix durable en Europe. Il mène pour cela une guerre inlassable, conduite par Montmorency et par le duc de Guise qui reprend Calais aux Anglais.

Développant l'absolutisme monarchique, il mène aussi la lutte contre les protestants.

Le traité du Cateau-Cambrésis, signée en 1559, amène cette paix enfin désirée. Mais Henri II n'en verra pas les bénéfices : il meurt lors d'un tournoi la même année, laissant son épouse, la reine Catherine de Médicis, préparer le destin royal de leurs enfants.

Henri II (peinture à l'huile de 1555).

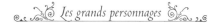

❧ *Les grands personnages* ❧

Catherine de Médicis
1519-1589

Une légende noire et tenace s'attache à cette reine de France, arrière-petite-fille de Laurent le Magnifique et nièce du pape Clément VII, que l'on accuse de tous les maux.

Pourtant, Catherine de Médicis, qui fut mère de trois rois de France, a œuvré de toutes ses forces pour parvenir à l'impossible rapprochement entre catholiques et protestants.

L'épouse d'Henri II – longtemps maintenue dans l'ombre de la belle favorite Diane de Poitiers – a su attendre son heure ; elle a écarté du pouvoir les Guise et tissé des réseaux de fidélité qui lui permirent d'être nommée « gouvernante du royaume ». Elle va, dans cette charge, déployer un zèle infatigable et demeurer toujours aux côtés de ses fils qui se succéderont sur le trône.

LES DUCS DE GUISE

*F*rançois Ier de Guise (1519-1563) et son fils Henri Ier, dit le Balafré (1550-1588), se font les champions du catholicisme. Leur intransigeance attise les haines, jusqu'à l'assassinat du « Balafré » sur ordre du roi Henri III.

La puissance de la Couronne, par tous les moyens

Une seule ambition l'anime : l'autorité de la Couronne, garante de la puissance de l'État et de « l'entier repos du royaume », et s'il le faut elle use pour cela de moyens parfois violents. Durant trente ans, jusqu'à sa mort, elle n'aura de cesse de travailler à la réconciliation entre catholiques et protestants. Le mariage entre sa fille Marguerite, « la reine Margot », et Henri de Navarre, futur Henri IV, devait permettre ce rapprochement. Or il sera le prélude au massacre de la Saint-Barthélemy, qui discréditera la reine pour des siècles.

Henri IV
1553-1610

Sa réputation de « Vert-Galant » et de roi bon vivant n'est pas étrangère à sa popularité, mais Henri IV est avant tout celui qui a ramené la paix et la concorde dans un royaume déchiré durant des décennies par les guerres de Religion.

Henri de Navarre a été un des acteurs de ces guerres, et c'est non sans mal qu'il fera valoir ses droits à la Couronne à la mort d'Henri III, le dernier fils de Catherine de Médicis, en 1589. Le parti catholique n'entend pas laisser monter sur le trône de France un prince protestant, si bien qu'Henri de Navarre devra lutter âprement, ralliant à son « panache blanc » des partisans toujours plus nombreux. Et, parce que « Paris vaut bien une messe », le futur souverain accepte de se convertir au catholicisme pour mieux assurer la nécessaire réconciliation des Français.

Le 27 février 1594, il est solennellement sacré roi de France.

SULLY
1559-1641

Maximilien de Béthune, duc de Sully, compagnon fidèle d'Henri IV qui en fit son surintendant des Finances, a été l'artisan efficace du retour à la prospérité. Objet de son attention : l'agriculture, dont il favorise la modernisation. Ainsi l'introduction de la culture du mûrier suscite-t-elle l'essor de l'industrie de la soie, particulièrement à Lyon. Le mieux-être est tel que Sully réalise le vœu d'Henri IV qui souhaitait « qu'il n'y ait si pauvre paysan en [son] royaume qu'il n'ait tous les dimanches sa poule au pot ».

« Ralliez-vous à mon panache blanc ! Vous le trouverez toujours sur le chemin de l'honneur et de la victoire » : difficile de ne pas lier le roi Henri IV à cette harangue qu'il prononça à la bataille d'Ivry en 1590 et de ne pas chercher les fameuses plumes blanches sur son chapeau.

Paris lui ouvre enfin ses portes et il peut en chasser la garnison espagnole venue soutenir les ligueurs ; Henri IV va maintenant travailler à reconstruire le royaume.

❧ Trouver le chemin de la prospérité

Le 30 avril 1598, la promulgation de l'édit de Nantes permet enfin la réconciliation entre catholiques et protestants. La paix des armes et la paix des consciences sont assurées, la prospérité peut maintenant revenir, dans les villes mais surtout dans les campagnes. C'est la tâche du plus fidèle des ministres, Sully, qui réorganise les finances et favorise l'essor des manufactures en même

Marguerite de Valois, dessinée par François Clouet à l'époque de son mariage avec Henri IV qui fait d'elle « la reine Margot ».

temps qu'il améliore considérablement les voies de communication, amplifiant les échanges commerciaux.

Un second mariage

Pour renflouer les caisses de l'État, Henri IV accepte d'épouser, en 1600, Marie de Médicis, la « banquière florentine » et sa généreuse dot. Il a auparavant obtenu la rupture de son mariage avec Marguerite de Valois, la « reine Margot », que Catherine de Médicis lui avait fait épouser dans l'espoir de rapprocher catholiques et protestants.

Espoir définitivement ruiné dans le drame sanglant de la Saint-Barthélemy qui suivit immédiatement ce mariage, qui n'aura pas de descendance.

LA REINE MARGOT
1553-1615

La fille d'Henri II et de Catherine de Médicis a accepté les desseins de sa mère en épousant Henri de Navarre. Mais Margot, la « perle des Valois », est trop libre pour n'être qu'un pion sur l'échiquier politique. Devenue reine de Navarre, elle fait front dans la tourmente des guerres de Religion sans jamais cesser d'être loyale à un époux avec lequel elle ne vit pas. Margot achève son existence tumultueuse, et parfois scandaleuse, en rédigeant ses *Mémoires*.

Une fin tragique

Le patient et obstiné travail de redressement national entrepris par Henri IV ne doit toutefois pas faire illusion. Les périls sont nombreux, les ennemis de la France – à commencer par l'Espagne – ne manquent pas.

Est-ce l'un de ces ennemis qui a armé le bras de Ravaillac, un catholique exalté, qui assassine Henri IV le 14 mai 1610 ? On ne le saura jamais.

❧ *Louis XIII* ❧
1601-1643

Le fils d'Henri IV est timide, secret, taciturne, et profondément
pieux, aussi les historiens l'ont-ils longtemps et injustement
relégué dans l'ombre ambitieuse de Richelieu.

Pourtant, Louis XIII, durant ses trente-trois ans de règne, n'a jamais
cessé de travailler avec son ministre pour renforcer l'autorité de
l'État et celle de la Couronne. Mais pour réunir cela, il lui a fallu
d'abord se libérer de la pesante tutelle de sa mère, Marie de Médicis, et faire assassiner Concini – le favori de celle-ci – pour gouverner
pleinement.

❧ Vers l'absolutisme

Il sut ensuite accorder sa confiance au
cardinal de Richelieu. Avec lui, il renfor-
cera l'autorité royale contre les prétentions des « Grands », matera les révoltes
populaires qui agitent les campagnes, et
imposera la place de la France dans la
diplomatie européenne, au prix d'une
longue et douloureuse « guerre de Trente
Ans » menée contre les Espagnols.
Pénétré des devoirs de sa charge, Louis
« le Juste » a consolidé une monarchie
française que son fils Louis XIV pourra
rendre véritablement absolue.

Louis XIII, au premier plan de ce tableau
de 1627, semble prêt à prendre d'assaut
La Rochelle. Le cardinal de Richelieu, réel maître
d'œuvre du long siège de la ville, est à ses côtés.

Richelieu

1585-1642

Sa rigidité inflexible face à tous ceux qui s'opposent à la Couronne lui vaut le surnom de « sphinx rouge ».

« *Ruiner le parti huguenot, rabaisser l'orgueil des Grands, réduire tous ses sujets en leurs devoirs et relever son nom* [de Louis XIII] *dans les nations étrangères au point où il devait être.* » Tel fut l'ambitieux programme politique d'un cardinal entré en 1624 au service d'un roi que l'on disait timide et indécis.

Armand Jean Du Plessis renonça à la carrière militaire pour devenir homme d'Église et évêque de Luçon. Tout d'abord artisan du rap-

prochement de Marie de Médicis – dont il a gagné les faveurs – avec son fils Louis XIII, il devient cardinal, puis entre au Conseil du roi. Dès lors, il dirige la politique du royaume d'une main de fer.

Profondément pénétré du sens de l'État, Richelieu n'aura de cesse de travailler rendre celui-ci plus fort *«pour que le roi fût grand à l'intérieur et respecté à l'extérieur».*

La médaille a son revers : son intransigeance face aux protestants comme aux Grands du royaume a laissé de lui le souvenir d'un «cardinal en armure», retors et cruel au besoin – notamment au XIXe siècle dans *les Trois Mousquetaires* d'Alexandre Dumas.

❧ Mazarin ❧
1602-1661

Successeur désigné par Richelieu lui-même (il avait perçu en lui un habile diplomate), le cardinal Mazarin s'attacha la confiance de la régente Anne d'Autriche qu'il détermina à poursuivre la guerre contre l'Espagne.

Les victoires de Condé et de Turenne lui permirent de négocier avantageusement les traités de paix de Westphalie puis des Pyrénées qui accordaient à la France une partie de l'Alsace, les évêchés de Metz, Toul et Verdun, l'Artois et le Roussillon, achevant ainsi d'affaiblir la maison d'Autriche.

Jules Mazarin était si impopulaire qu'il était moqué dans des chansons : les mazarinades.

❧ Face à la Fronde

Mais la guerre a un prix, et les difficultés financières suscitèrent contre lui, et contre la régente Anne d'Autriche, la Fronde des parlementaires puis des Grands, dont il vint à bout.

Quand il meurt en 1661, Mazarin a préparé le jeune roi Louis XIV pour que celui-ci décide de se passer de principal ministre afin de gouverner en souverain absolu.

❧ *Les grands personnages* ❧

Louis II de Bourbon-Condé
1621-1686

Premier prince du sang, victorieux des Espagnols à la bataille de Rocroi en 1643, ce grand soldat entre en conflit avec Mazarin et Anne d'Autriche, et rejoint la Fronde pour menacer Paris. Déchu de ses titres, il se met au service de l'Espagne, ce qui lui vaut d'être condamné à mort. Battu par Turenne, «le Grand Condé» fait amende honorable et obtient le pardon du jeune roi Louis XIV pour lequel il reprend les armes avant de se retirer, couvert des lauriers d'un grand homme de guerre, dans son domaine somptueux de Chantilly.

Louis II de Bourbon, prince de Condé, à la bataille de Fribourg.

TURENNE (1611-1675)

Vainqueur du Grand Condé et des Espagnols à la bataille des Dunes en 1658, Henri de La Tour d'Auvergne, vicomte de Turenne, est l'un des plus illustres chefs militaires de la guerre de Trente Ans, ce qui lui vaut d'être fait maréchal à 32 ans. Participant un temps à la Fronde contre Mazarin, il demeure cependant loyal et défend Paris avant d'enchaîner les victoires contre l'Espagne. Turenne trouve la mort en Allemagne, emporté par un boulet de canon, en 1675, à Sasbach.

❧ Louis XIV ❧
1638-1715

*Versailles témoigne encore superbement de la grandeur du règne
du « Roi-Soleil », dont l'éclat surpasse celui de tous les souverains.*

Durant cinquante ans, Louis XIV a gouverné en monarque absolu, affranchi
de toute tutelle pour exercer seul son
« métier de roi ». Pour ce faire, le souverain sait s'entourer de ministres
compétents, les Colbert, les Lou-
vois, les Vauban, entièrement
dévoués à la bonne marche des
affaires de l'État.

Il sait également convoquer
les plus grands artistes et
les meilleurs auteurs de son
temps pour les prier de mettre
en scène et en œuvre l'éloge
flatteur de sa propre gloire.
La Fontaine, Racine, Molière,
Boileau, Mansart et Perrault,
Le Nôtre et Le Vau, Poussin et
Le Lorrain, tous ont contribué à faire
du siècle de Louis XIV le « Grand
Siècle » de l'histoire de France.

*À 14 ans, Louis XIV apparaît dans
le Ballet de la nuit de Lully costumé en Apollon,
le dieu grec du Soleil. Il devient le « Roi-Soleil »,
symbole de puissance (dessin à la gouache, rehaussé d'or).*

❧ Un règne aux nombreuses guerres…

Pas de soleil sans ombre, celle de la guerre que sur son lit de mort Louis XIV confessera « *avoir trop aimée* ». Guerre de Dévolution menée dès 1667 contre l'Espagne pour la possession des Pays-Bas espagnols, guerre de Hollande livrée de 1672 à 1678, guerre de la Ligue d'Augsbourg de 1686 à 1697, guerre de la Succession d'Espagne de 1701 à 1714… le royaume est rarement en paix !

❧ … et répressions

Le pire advient quand Louis XIV porte la guerre à l'intérieur même du royaume. La révocation de l'édit de Nantes en octobre 1685 conduit à une féroce répression contre la « religion prétendue réformée ». Les ministres du culte doivent quitter la France, les temples sont détruits, les fidèles priés de se convertir et de faire baptiser leurs enfants. Trois cent mille d'entre eux – ou peut-être plus – choisiront de quitter le royaume, un exode dont les répercussions économiques seront désastreuses. Ultime calamité : le « grand hyver » de 1709, le plus rigoureux de tous, qui répand la misère et la famine.

VAUBAN (1633-1707)

Au service d'un souverain belliqueux, Sébastien Le Prestre de Vauban, architecte et ingénieur, a protégé le royaume derrière une ceinture de forteresses inexpugnables et a modernisé ses armées. Vauban fut bien plus qu'un bâtisseur, car tout intéressait cet esprit curieux et philanthrope, précurseur des Encyclopédistes du XVIIIe siècle.

❧ Le plus grandiose des palais

Reste l'orgueil de Versailles, modeste pavillon de chasse devenu le plus grand et le plus beau palais du monde où se pressent les courtisans. Coup de génie politique, Versailles est le lieu où Louis XIV a tenu en respect les grandes familles de l'aristocratie désormais trop soucieuses de flatter le souverain pour songer à intriguer contre lui.

❧ Jean-Baptiste Colbert ❧

1619-1683

Instigateur du «colbertisme», il développe l'industrie pour attirer l'or dans le royaume par l'essor des exportations tout en limitant les importations.

Issu d'une famille de marchands-drapiers, Jean-Baptiste Colbert, recommandé à Louis XIV par le cardinal Mazarin, a été nommé contrôleur général des Finances en 1665.

Jusqu'à sa mort, il va mettre en œuvre un remarquable programme de réformes dans de nombreux domaines : création de manufactures (glaces de Saint-Gobain, tapisseries des Gobelins...), de compagnies de commerce (Compagnie des Indes, Compagnie du Levant...), réorganisation de l'impôt, grands travaux d'aménagement (canal du Midi), gestion du domaine forestier... Il a créé aussi de nombreuses académies pour accentuer le rayonnement artistique et intellectuel du pays.

Colbert présente à Louis XIV les membres de l'Académie royale des sciences. À droite, on déploie une carte du canal du Midi, illustration des applications de la science (tableau d'Henri Testelin de 1667).

𝒢𝓇𝒶𝓃𝒹 commis de l'État

Son inlassable activité lui valut d'être nommé surintendant des Bâtiments, Arts et Manufactures, secrétaire d'État au Commerce et à la Marine, secrétaire d'État à la Maison du roi. Il demeure aujourd'hui le parfait exemple du «grand commis de l'État».

❧ Jean Bart ❧
1650-1702

Pratiquant la « guerre de course », Jean Bart s'empare de bateaux anglais et hollandais avant de devenir officier de la marine royale.

Marin dunkerquois entré au service du roi comme corsaire en 1672 au moment de la guerre de Hollande, Jean Bart participe à tous les conflits, multipliant les exploits qui lui valent de recevoir des mains de Louis XIV la croix de chevalier de l'ordre de Saint-Louis.

En 1694, il réussit à briser le blocus de la ligue d'Augsbourg et fait parvenir, en pleine disette, plus de cent navires de blé norvégien en France.

Sa renommée vient à point pour souligner les efforts de Colbert qui en quelques années a doté la France d'une véritable marine, lui donnant pour la première fois les moyens de rivaliser avec la Hollande et l'Angleterre, grandes puissances maritimes.

« La terreur des flottes ennemies sur l'océan » (gravure du XVIIᵉ siècle).

Philippe d'Orléans
1674-1723

Nommé régent du royaume à la mort de son oncle Louis XIV en 1715, Philippe d'Orléans a laissé le souvenir d'un prince fastueux plus préoccupé d'organiser des fêtes somptueuses au Palais-Royal que des affaires de l'État.

Si l'«aimable temps de la régence» reste synonyme de frivolité et de libertinage amoureux, c'est parce qu'il marque une rupture avec l'austère fin de règne du dévot Roi-Soleil.

Philippe d'Orléans, devenu régent comme premier prince du sang, rompt avec l'absolutisme en redonnant son importance politique au parlement. Il renverse les alliances diplomatiques nouées par Louis XIV en se rapprochant de l'Angleterre.

Échec face à la crise financière

Surtout, afin de remplir des caisses désespérément vides, il tente une réforme économique originale en laissant un aventurier écossais, John Law, appliquer ses théories spéculatives où les actions ont remplacé l'or. La faillite retentissante du système achèvera de discréditer pour longtemps la régence de Philippe d'Orléans.

Philippe, duc d'Orléans, dans son cabinet de travail en compagnie du futur roi Louis XV.

Louis XV
1710-1774

Longtemps les manuels scolaires ont été unanimes à considérer Louis XV comme « un fort mauvais et très méchant roi » qui ne méritait pas son surnom de « Bien-Aimé ».

MADAME DE POMPADOUR
1721-1764

*F*avorite de Louis XV, Jeanne Antoinette Poisson, faite marquise de Pompadour, va régner durant vingt ans en « quasi-reine ». Son influence politique auprès du roi ne fut pas toujours très heureuse, mais c'est dans le domaine des arts qu'elle va durablement imprimer ses goûts à Versailles en faisant appel aux peintres Boucher, Van Loo, Quentin de La Tour. Protectrice des Encyclopédistes, madame de Pompadour fera souffler un vent de liberté à la cour.

Son règne fut certes éclipsé par l'éclat incomparable de son arrière-grand-père Louis XIV, et son caractère taciturne et anxieux ne l'inclinait pas à être un grand monarque. Mais, quand il monte sur le trône après la régence de Philippe d'Orléans, le royaume est en paix, et Louis XV tente d'en réformer les structures vieillies. Il doit toutefois reculer devant l'obstination des parlements et rien ne changera... au grand dam de ses sujets.

ஃ Un « renversement d'alliance » qui mène à la guerre

On reproche surtout à Louis XV de s'être embarqué dans une inutile guerre de Succession d'Autriche qui laisse aux Français le sentiment amer de « s'être battu pour le roi de Prusse ».

Puis la guerre de Sept Ans, menée de 1756 à 1763 pour luller cette fois contre la suprématie anglaise, s'achève avec le traité de Paris par l'abandon d'une grande partie du premier empire colonial français – Inde et Canada.

ஃ Les grands personnages ஃ

❧ L'influence de ses maîtresses

Ces guerres sont très ruineuses et l'inconduite du roi dans ses affaires privées n'arrange rien.

Après de multiples aventures, il est tombé sous la coupe d'une bourgeoise, mécène des arts mais aussi fort dispendieuse, qu'il a faite marquise de Pompadour et dont on dit qu'elle dirige la France.

Après « la Pompadour » vient madame du Barry. Plus dépensière encore, celle-ci est le sujet de chansons grivoises et même de libelles pornographiques. C'en est trop pour des sujets qui ne pleureront pas la mort de Louis XV, survenue en 1774 après un long règne de cinquante-neuf ans.

Louis XV, en armure sur ce tableau de Carle Van Loo, engage la France dans la guerre de la Succession de Pologne (1733-1738), puis dans celle d'Autriche (1740-1748) et dans la désastreuse guerre de Sept Ans (1756-1763).

Héros de notre histoire presque malgré lui, emporté par la tourmente révolutionnaire qui aura raison de l'Ancien Régime, Louis XVI mérite aujourd'hui d'être reconsidéré.

S'il craignait le pouvoir qui lui échut à vingt ans à la mort de son grand-père Louis XV, et s'il fuyait le fardeau des responsabilités, il n'était pas ce roi indolent et passif que l'on a longtemps moqué.

❧ *Une situation économique difficile*

Monarque éclairé et érudit, passionné de sciences, aimant sincèrement son peuple, il souffrait d'une timidité profonde qui l'empêcha de réagir aux événements complexes qui scellèrent son destin. Il abolit la torture et rend leur état civil aux protestants. Faute de pouvoir enrayer la crise économique aggravée par la guerre d'Indépendance des États-Unis, il hésita sur la conduite à tenir, confia les Finances à Turgot, puis à Necker, bientôt remplacé par Calonne, puis par Loménie de Brienne…, sans redresser la situation. Rappelant Necker, il convoque les États généraux après avoir dissous les parlements qui s'opposent aux projets de nouveaux impôts.

JACQUES NECKER
1732-1804

Quand Louis XVI le rappelle aux Finances en 1788, c'est dans l'espoir que ce banquier suisse saura mettre en œuvre des réformes nécessaires pour sauver un État en faillite. Mais les solutions de Jacques Necker sont jugées insupportables par une grande part des notables qui obtiennent son renvoi, suscitant le mécontentement populaire. Rappelé une nouvelle fois après la prise de la Bastille, Necker sera impuissant face aux événements et démissionnera en septembre 1790.

⚜ Souverain déchu

Quand éclate la Révolution, Louis XVI hésite entre réformes politiques et répression, si bien qu'il est rapidement le jouet des événements plus que l'acteur. Son caractère influençable précipite
sa perte quand il laisse Marie-Antoinette organiser la calamiteuse
«fuite à Varennes». Désormais, le roi «traître et fuyard» a perdu
tout crédit auprès du peuple. Rien n'empêchera plus son procès,
sa condamnation pour «conspiration contre la liberté et attentat
contre la sûreté de l'État» et son exécution le lundi 21 janvier 1793.

Le 20 janvier 1793, veille de son exécution, Louis XVI fait ses adieux à sa famille.
Trente-six heures ont été nécessaires pour voter la sentence,
prononcée nominativement par chaque député
– la condamnation à mort obtint une majorité de cinq voix.

Marie-Antoinette

1755-1793

Insouciante et frivole, fuyant les rigueurs oppressantes de l'étiquette de cour, elle ne sera pas restée longtemps dans le cœur des Français.

Elle commet la faute grave de se mêler des affaires de l'État - avec plus de caprices que de clairvoyance. Exigeant le renvoi du ministre Calonne pour imposer Loménie de Brienne, c'est elle encore qui obtient de Louis XVI le rappel de Necker aux Finances avant de faire son entrée au Conseil du roi en décembre 1788. Les événements qui se précipitent ne font que la brusquer dans son intransigeance.

Une reine face à la Révolution

Marie-Antoinette, imbue de sa dignité, n'a que mépris pour ces troubles fomentés par une population qui depuis longtemps ne l'aime plus. « L'Autrichienne », comme on la désigne depuis l'échec de la fuite à Varennes qu'elle a organisée, enfermée à la prison du Temple puis à la Conciergerie après l'exécution de Louis XVI, affronte les épreuves avec courage et dignité jusqu'à son supplice le 16 octobre 1793.

Fille de l'empereur d'Autriche François Ier, Marie-Antoinette, ici peinte par Martinus Mytens le Jeune, épouse en 1770, à l'âge de 15 ans, le futur roi de France Louis XVI.

Les grands personnages

La Fayette
1757-1834

La Fayette passe en revue la Garde nationale parisienne dont il est le commandant général.

Gilbert Motier de La Fayette demeure aujourd'hui une personnalité historique de premier plan... aux États-Unis.

En 2002, il est fait citoyen d'honneur outre-Atlantique, pour son rôle dans la guerre d'Indépendance américaine. Il n'en fut pas moins un acteur majeur de la Révolution française.

Épris des idéaux de la démocratie tels qu'il les vit naître en Amérique, et respectueux de la Couronne, ce représentant de l'aristocratie libérale crut pouvoir concilier dans un délicat équilibre la monarchie et la Révolution en demeurant fidèle à l'une comme à l'autre.

Nommé commandant de la Garde nationale à laquelle il donne pour couleurs la cocarde tricolore, organisateur de la fête de la Fédération en 1790, il perd son crédit après la fuite du roi à Varennes.

DUMOURIEZ ET KELLERMANN

*P*our sauver la patrie en danger, les armées de la Révolution peuvent compter sur ces deux généraux, vainqueurs des Prussiens à Valmy en septembre 1792. Mais si le premier, Kellermann (1735-1820), se couvrira de gloire jusqu'à la campagne d'Italie sous les ordres de Bonaparte, le second, Dumouriez (1739-1823), trahira pour passer à la solde des Autrichiens.

❧ *Mirabeau* ❧
1749-1791

Député du tiers état pour Aix-en-Provence malgré son appartenance à la noblesse, il a participé à diverses sociétés libérales avant la réunion des États généraux.

Orateur fougueux, il est l'homme d'une phrase : «*Allez dire à votre maître que nous sommes ici par la volonté du peuple, et qu'on ne nous en arrachera que par la force des baïonnettes !*» marquant le refus de quitter la salle du Jeu de paume comme le demandait le roi. Emmené par Mirabeau, le tiers, qui s'est constitué en Assemblée nationale, fait le serment de ne pas se séparer avant d'avoir donné à la France une Constitution ; la détermination du député marque le début de la Révolution française.

OLYMPE DE GOUGES
1748-1793

*P*récurseur du droit des femmes, elle est celle qui proclamait que «*l'exercice des droits naturels de la femme n'a de bornes que la tyrannie perpétuelle que l'homme lui oppose*». Révolutionnaire exaltée mais humaniste, elle se proposa comme avocate de Louis XVI durant son procès, dénonça les excès sanguinaires de la Terreur et soutint les Girondins, ce qui lui valut d'être conduite à l'échafaud.

❧ *Un personnage trouble*

Militant pour une monarchie constitutionnelle, il semble louvoyer entre révolutionnaires et royalistes, et entra même secrètement au service du roi. Sa mort brutale de maladie lui valut l'affliction populaire avant que l'armoire de fer ne révèle ses relations avec Louis XVI.

Honoré Gabriel Riqueti, comte de Mirabeau, est le premier symbole de l'éloquence parlementaire (portrait réalisé par Joseph Bose dès 1789).

❧ Danton ❧
1759-1794

Ce colosse à la voix de stentor incarne la Révolution. Figure du parti des Montagnards avec Marat et Robespierre, il est le grand homme de la Convention née au lendemain de Valmy.

Fondateur du club des Cordeliers, sa carrure, sa « gueule », comme il dit, lui vaut une grande popularité, et en réclamant « *de l'audace, encore de l'audace, toujours de l'audace* », il sait galvaniser la nation pour sauver « *la patrie en danger* ». Président du Tribunal révolutionnaire, membre du Comité de salut public, Danton ne peut empêcher la Révolution de se radicaliser et préfère alors en accompagner les excès. « *Soyons terribles pour éviter au peuple de l'être !* » affirmera-t-il, ce qui ne frei-

Cette sanguine de Pierre Alexandre Wille représente Danton conduit à l'échafaud. À des proches qui le pressaient de fuir la Révolution qui menaçait de le dévorer, il répondit : « On n'emporte pas sa patrie sous la semelle de ses souliers. »

nera en rien la fureur populaire lors des massacres de septembre 1792, qu'il laissera se perpétrer.

᪥ *Accusé de corruption et de faiblesse*

Trop bon vivant et trop soucieux de ses propres intérêts pécuniaires pour n'être pas compromis dans des affaires de corruption, celui que l'on surnomme le «Mirabeau de la canaille» devient suspect et trouve dès lors en Maximilien de Robespierre son rival le plus acharné.

Ayant perdu tout crédit auprès des sans-culottes parisiens, Danton est arrêté et condamné à mort par le Tribunal révolutionnaire. Le 5 avril 1794, il est guillotiné avec ses partisans, dont Camille Desmoulins et Fabre d'Églantine.

Au bourreau Sanson il lancera cette ultime phrase : «*Tu montreras ma tête au peuple, elle en vaut la peine.*»

CAMILLE DESMOULINS
1760-1794

Le 12 juillet 1789, après le renvoi de Necker, il appela les Parisiens à prendre les armes et à marcher sur la Bastille. Avocat et journaliste, ami de Robespierre avant de se rapprocher de Danton, Camille Desmoulins s'en prit violemment, dans son journal *Le Vieux Cordelier*, aux excès de la Terreur, ce qui le conduisit à l'échafaud en 1794.

Portrait de Camille Desmoulins, miniature sur ivoire de 1790.

❧ Robespierre ❧
1758-1794

De ce jeune avocat sans fortune, Mirabeau disait : « Il ira loin, il croit tout ce qu'il dit. » Plutôt effacé en 1789, il devient l'incarnation de l'intransigeance révolutionnaire.

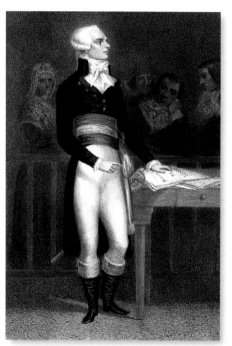

À la mort de Mirabeau, Maximilien de Robespierre devient la figure centrale du club des Jacobins ; désormais la Révolution se confond avec cet homme, jusqu'à l'institution du régime de la Terreur.

❧ Un engagement radical

Éliminant ses principaux rivaux, remplaçant Danton à la tête du Comité de salut public, Robespierre devient l'âme et l'acteur principal de la Révolution. Il lui donne pour but de « substituer toutes les vertus et tous les miracles de la République à tous les

Dès octobre 1789, Maximilien de Robespierre a rejoint le club des Jacobins qui sera pour lui une tribune. Sur cette lithographie, d'après un dessin de Louis David, il y présente la Déclaration des droits de l'homme et du citoyen.

MARAT
1743-1793

« *Les siècles finissent par avoir une poche de fiel* », écrivait Victor Hugo, qui ajoutait : « *Cette poche crève. C'est Marat.* » Jean-Paul Marat, « l'Ami du peuple » selon le titre de son célèbre journal, reste le mal-aimé de la Révolution. Médecin de formation, il est surtout un journaliste dont la plume violente fait rapidement de lui « le tribun du peuple » et lui vaut une immense popularité auprès des sans-culottes. Ses formules, qui sont autant d'appels au meurtre, font mouche, et la rhétorique de Marat n'est pas étrangère aux massacres de septembre 1792. Elle causera également sa perte : pour venger le sang versé, c'est lui que Charlotte Corday choisit d'assassiner le 13 juillet 1793. Immortalisée par le peintre David, la mort brutale de Marat en a fait le martyr de la Révolution.

vices et tous les ridicules de la monarchie.» S'il parvient à juguler le péril extérieur et vient à bout des menaces intérieures en réprimant violemment les complots royalistes, l'«Incorruptible» et austère Robespierre manque de popularité et s'aliène trop d'ennemis pour survivre au régime implacable qu'il a institué.

Le 28 juillet 1794, Robespierre monte à son tour sur l'échafaud, après avoir été arrêté à la Convention.

Une mémoire difficile à assumer

Le nom de Robespierre, s'il est partout dans la mémoire collective, sent encore le soufre et évoque trop facilement la funeste guillotine. En 2009, le conseil municipal de Paris refusait toujours, après de très vifs débats, de donner le nom de Robespierre à une rue de la capitale...

Napoléon
1769-1821

Héros incontesté de l'histoire de France, Napoléon rallie tous les suffrages. Son épopée militaire à travers l'Europe au nom de l'idéal révolutionnaire ne doit pas éclipser la réforme de l'État français qu'il entreprend.

Napoléon est celui qui met un terme définitif à la Révolution et à ses désordres sans en supprimer les acquis. Mieux encore, sur les ruines de l'Ancien Régime il bâtit une France victorieuse et conduit les soldats de la République aux quatre coins de l'Europe dans une épopée militaire hors du commun qui voit un «petit caporal corse» coiffer une couronne impériale.

TALLEYRAND (1754-1838)

Charles Maurice de Talleyrand-Périgord était-il cette «*merde dans un bas de soie*» comme aurait dit à son sujet Napoléon ? L'ancien évêque d'Autun fut en tous les cas un formidable homme politique, omniprésent sur la scène française et européenne pendant plus de quarante ans. Ministre des Affaires étrangères de Napoléon, auréolé de multiples récompenses et titres, il servit ensuite Louis XVIII avec la même habileté, jouant un rôle de premier plan lors du congrès de Vienne (1815) qui redessina l'équilibre européen.

Et Bonaparte devint Napoléon…

L'aventure ne fut pas démocratique, il lui a fallu pour cela passer par un coup de force qui est un coup d'État. Mais le 18 brumaire de l'an VIII (9 novembre 1799) du «Robespierre à cheval» sera vite oublié et Bonaparte peut devenir Napoléon, sacré empereur le 2 décembre 1804.

Bonaparte franchissant les Alpes au Grand-Saint-Bernard existe en cinq versions, commandées par le futur empereur qui en fit son premier «portrait officiel».

Sur ce tableau de René Berthon, Napoléon Ier reçoit au Palais royal de Berlin des représentants du Sénat français et leur remet les drapeaux pris lors de la bataille d'Iéna

La légende, entretenue par un art consommé de la propagande, prend de l'ampleur sur les champs de bataille : déjà victorieux à Arcole et à Rivoli, à Marengo et à Ulm, Napoléon défait les Russes et les Autrichiens à Austerlitz en 1805. Viennent ensuite Iéna et Auerstedt, Eylau, Friedland et Eckmühl, Essling et Wagram...

Figures centrales du mythe : le grognard, les hussards chargeant sabre au clair, la Grande Armée traversant l'Europe à marche forcée, depuis le « soleil d'Austerlitz » jusqu'à la « morne plaine » de Waterloo.

JOSÉPHINE DE BEAUHARNAIS
1763-1814

Née Rose de Tascher de La Pagerie, veuve d'Alexandre de Beauharnais, Joséphine épouse le général Bonaparte en 1796 et devient impératrice en 1804.

En décembre 1809, Napoléon choisit de se séparer de sa « *douce et incomparable Joséphine* » qui n'a pu lui donner d'héritier.

L'impératrice disgraciée se retire alors dans son domaine de la Malmaison d'où elle continue à donner le ton de la mode et du bon goût.

Réorganisation du pays

Outre l'épopée militaire qui remplit encore d'orgueil les Français, il y a l'œuvre politique dont on sait qu'elle a bouleversé l'équilibre européen en propageant l'idéal révolutionnaire, en Allemagne comme en Italie. Il y a également l'œuvre administrative, incomparable, avec son monument : le Code civil, encore en vigueur aujourd'hui dans bien des domaines. Napoléon a achevé la Révolution sans en renier les principes fondamentaux. Créant un empire avec sa noblesse, il a distribué des « hochets » et enrichi ses fidèles, mais également assuré l'égalité devant l'impôt. Son irrésistible ascension, depuis une île de Méditerranée, jusqu'à son exil tragique dans une autre île avait tout pour faire naître un mythe. Mythe de l'Histoire bien sûr, mais mythe littéraire, artistique, musical et cinématographique aussi. Insurpassable Napoléon...

Le général Pierre Jacques Étienne Cambronne débute une remarquable carrière militaire en s'enrôlant dans un bataillon de volontaires nantais pour combattre les insurgés vendéens.

Il s'illustre durant les campagnes napoléoniennes, notamment celles d'Espagne et de Russie (durant cette dernière, il est nommé général). Fidèle parmi les fidèles de l'Empereur, il est fait baron en 1810.

Le «mot de Cambronne»

Mais Cambronne est aussi l'auteur du mot le plus célèbre de l'histoire de France. Major de la Garde impériale à Waterloo, il refusa de déposer les armes et répliqua aux Anglais : « *La Garde meurt mais ne se rend pas !* » avant de proférer un définitif « *Merde !* ». Il nia toujours par la suite avoir prononcé un juron que la légende lui attribue obstinément, devenu « le mot de Cambronne »...

LES MARÉCHAUX D'EMPIRE

Napoléon a donné à la France une nouvelle noblesse, il a également veillé à honorer ceux qui l'ont accompagné dans son épopée et se sont couverts de gloire sur les champs de bataille en instituant la dignité de maréchal d'Empire. En mai 1804, ils sont 18 à être distingués : Berthier, Augereau, Mortier, Lefebvre, Murat, Ney, Pérignon, Bernadotte, Moncey, Soult, Davout, Sérurier, Jourdan, Brune, Bessières, Lannes, Masséna et Kellermann. Suivront en 1807 Victor, en 1809 Macdonald, Marmont et Oudinot, en 1811 Suchet, en 1812 Gouvion-Saint-Cyr, en 1813 Poniatowski et Grouchy en 1815.

Paris conserve aujourd'hui la mémoire de 19 de ces 26 soldats dont les noms ont été donnés aux boulevards qui entourent les vingt arrondissements de la capitale.

Sur cette gravure colorée Bonaparte est représenté avec les futurs maréchaux d'Empire Augereau, Masséna et Berthier.

❧ Louis XVIII ❧
1755-1824

Rentré en France en 1814 après vingt-trois ans d'exil, le frère de Louis XVI est un souverain prudent. Il se montrera lucide sur la réelle affection que lui portent des sujets qui raillent son impressionnante corpulence.

S'il restaure l'Ancien Régime, il souhaite le faire «sans les abus». Il octroie une Charte qui instaure une monarchie constitutionnelle et préserve une partie des acquis de la Révolution et de l'Empire. Louis XVIII veut «*renouer la chaîne des temps que de funestes écarts avaient interrompue*», mais ce roi clairvoyant a compris que l'ancien ordre monarchique a vécu. C'est pourquoi il s'efforce «*de n'être pas plus royaliste que le roi*».

❧ Un roi face aux royalistes

Bien qu'il ait dissous en 1816 la Chambre dominée par les royalistes «ultras», préoccupés avant tout de retrouver leurs privilèges, Louis XVIII ne peut toutefois freiner leurs ambitions. Peu à peu, les ultras parviennent à s'imposer face aux libéraux. Roi modéré menant une existence bourgeoise, il meurt en 1824. La couronne passe alors à son frère Charles X, le très réactionnaire comte d'Artois.

Louis XVIII cherche à renouer avec le prestige de la royauté, notamment avec ces pièces d'or de 20 francs à son effigie.

❧ Les grands personnages ❧

≈ Charles X ≈
1757-1836

Autoritaire, orgueilleux et dévot, Charles X oriente la restauration de la monarchie vers un retour à l'Ancien Régime le plus strict.

Le second frère de Louis XVI, contre-révolutionnaire très engagé dans la lutte et long-temps à la tête de l'opposition ultraroyaliste, n'a pas la bonho-mie de son prédécesseur. Sous son autorité, les politiques des différents ministères qui se succèdent (Villèle, Martignac, Polignac) suscitent la colère de l'opposition libérale qu'il tente de museler par des lois aussi répressives et impopulaires que maladroites.

Charles X se fit sacrer dans la cathédrale de Reims afin d'appuyer son pouvoir sur la religion.

≈ Jusqu'à l'insurrection parisienne

En 1830, la dissolution de la Chambre, la réforme électorale et l'abro-gation de la liberté de la presse sont vécues comme des réformes brutales. Elles conduisent au soulèvement des « Trois Glorieuses », journées des 27, 28 et 29 juillet. Les Parisiens prennent les armes, brandissent de nouveau le drapeau tricolore et chassent Charles X. Il mourra en exil du choléra, en Autriche en 1836.

Louis-Philippe Iᵉʳ
1773-1850

À l'issue des « Trois Glorieuses », les républicains ont dû se résoudre à confier la couronne de France au cousin de Charles X, Louis-Philippe d'Orléans – fils de Philippe Égalité.

Louis-Philippe brandit le drapeau tricolore sur fond de barricade en hommage aux révolutionnaires de 1848.

« Roi des Français » et non « roi de France », roi bourgeois et libéral, Louis-Philippe rompt avec l'autoritarisme de Charles X sans toutefois mettre en œuvre les réformes qui moderniseraient la vie politique.

L'essor de la bourgeoisie et la prospérité des milieux d'affaires ne s'accompagnent pas d'un véritable mieux-être dans le pays, et les protestations populaires se multiplient alors que la crise économique s'aggrave.

L'impatience de l'opposition républicaine (Raspail, Blanqui, Barbès, Ledru-Rollin…), longtemps contenue, éclate en février 1848. Louis-Philippe abdique et part en Angleterre où il meurt deux ans plus tard.

Napoléon III
1808-1873

La carrière politique du neveu de Napoléon commence par des complots médiocres qui lui valent d'être emprisonné. Échappé de son cachot, réfugié en Angleterre, il peut rentrer en France à la faveur de la révolution de 1848.

Confortablement élu premier président de la République, il rétablit l'Empire à son profit, un an après le coup d'État du 2 Décembre 1851; le «prince-président» devient Napoléon III. Son règne est partagé entre véritable essor industriel et économique (chemin de fer, Bourse et banques, renouveau de l'urbanisme des grandes villes, grands magasins...) et politique extérieure hasardeuse – influencée par l'impératrice Eugénie.

VICTOR HUGO
1802-1885

Victor Hugo forge sa stature politique dans l'exil, après le coup d'État de Napoléon III, ce «*Napoléon le Petit*» qu'il fustige dans des pamphlets violents. Après la chute de ce dernier en 1870, il peut rentrer en France, auréolé d'une gloire immense, et s'impose comme la grande conscience des aspirations libérales. Il sera, jusqu'à sa mort, le porte-parole des idéaux de la République.

De lourdes défaites militaires

La France de Napoléon III connaît une prospérité sans précédent, mais la «fête impériale» est gâchée par les expéditions militaires en Crimée, en Italie (contre l'Autriche) et au Mexique, avant de s'achever dans la brutale défaite face à la Prusse en 1870. Vaincu et fait prisonnier à Sedan, Napoléon III abdique et part pour l'Angleterre où il meurt peu après.

Léon Gambetta
1838-1882

Brillant avocat, député de Belleville, Léon Gambetta est en 1869 l'artisan du «programme démocratique radical».

Celui-ci contient toutes les grandes idées qui cimenteront l'idéal républicain : liberté de la presse, séparation des Églises et de l'État, instruction primaire obligatoire et gratuite...
À l'annonce de la défaite de Sedan, ce tribun hors pair parvient à imposer sans heurt la III⁰ République. Organisateur de la Défense nationale, il se fait après la défaite l'inlassable promoteur du programme politique d'un gouvernement républicain jeune et fragile, s'échappant de Paris assiégé en ballon pour organiser la poursuite du combat. Véritable «commis-voyageur» du nouveau régime, il rallie le plus grand nombre dans les provinces.

Posant pour un portrait photographique, Léon Gambetta semble bien calme, loin des emportements dont ce tribun enflammé était coutumier.

❧ Combattant les partisans de «l'ordre moral»

Après l'élection en 1877 d'une Assemblée vraiment républicaine, il fait plier le président Mac-Mahon, sommé «de se soumettre ou se démettre», et avec lui les forces réactionnaires, à commencer par l'Église, dénoncée par Gambetta comme le pire opposant de la République : «le cléricalisme, voilà l'ennemi !»

❧ *Adolphe Thiers* ❧
1797-1877

Longtemps partisan de la monarchie parlementaire, Thiers est plusieurs fois ministre de Louis-Philippe et président du Conseil avant de s'opposer ouvertement à Napoléon III.

Chef du gouvernement sous la monarchie de Juillet, il joue un rôle important dans l'arrivée au pouvoir de Louis Napoléon Bonaparte en 1848, mais il prend ses distances par la suite.

Hostile à la guerre de 1870, il est chargé de chercher des soutiens en Europe. Après la défaite, il est nommé chef du gouvernement provisoire et négocie avec la Prusse le traité de Francfort.

❧ Chef de file des « versaillais »

Chef du pouvoir exécutif installé à Versailles, il réprime brutalement en 1871 la Commune de Paris.

Républicain modéré et conservateur, Adolphe Thiers s'engage ensuite dans l'opposition au «président monarchiste» Mac-Mahon.

Adolphe Thiers est représenté au premier plan des députés de l'Assemblée nationale, réunis à l'Opéra royal de Versailles, en 1871, juste avant qu'il y prononce un discours.

Louise Michel
1830-1905

Institutrice engagée avec ardeur dans les luttes sociales de la Commune, fervente conférencière, Louise Michel prend part à l'insurrection parisienne face aux « versaillais ». Arrêtée après la semaine sanglante, la « Vierge rouge » échappe au peloton d'exécution mais elle est déportée en 1873 en Nouvelle-Calédonie.

Libérée après la loi d'amnistie en 1880, Louise Michel devient dès lors une inlassable militante des théories anarchistes, prêchant devant des salles pleines la cause du mouvement ouvrier dont elle reste l'une des figures les plus généreuses.

Gravure représentant Louise Michel dans l'Illustration

LES COMMUNARDS

La Commune de Paris a tenté durant soixante-douze jours une expérience originale brutalement réprimée lors d'une semaine sanglante qui fera des milliers de morts.

Pas de chef au Conseil de la Commune, mais des représentants élus, de toutes les tendances républicaines et socialistes, des anarchistes également. Charles Delescluze, Eugène Varlin, Victor Clément, Félix Pyat, Jules Miot, et d'autres comme Jules Vallès ou le peintre Courbet, ont été les principaux acteurs de cette expérience politique radicale. La mémoire de tous les autres est conservée sur le « mur des Fédérés » au cimetière du Père-Lachaise.

Théoricien politique, il est considéré comme le père de l'anarchisme dès la publication de Qu'est-ce que la propriété ? *en 1840. Pourtant, il se proclama aussi fédéraliste et certains le placent même à l'origine de la fédération européenne.*

Fils d'un garçon brasseur et d'une cuisinière de Besançon, la vive intelligence de Pierre Joseph Proudhon lui permet d'étudier grâce à des bourses. Il devient typographe-correcteur, puis dirige une imprimerie.

Après la révolution de 1848, il est élu député de Paris à l'Assemblée Constituante. Il crée des journaux pour diffuser ses idées, mais ses prises de position lui valent plusieurs séjours en prison. Auteur de formules célèbres – comme « *La propriété, c'est le vol!* » –, il a durablement influencé le mouvement ouvrier. Il ne rejette pas la propriété, tant qu'à son origine se trouve le travail, mais cherche de nouveaux modes d'organisation économique et politique.

❧ *Opposé à Marx*

Sa pensée, complexe et touffue, opposée à la conception autoritaire du socialisme de Karl Marx, refusait le capitalisme comme le communisme et prônait l'avènement d'une société nouvelle sans révolution violente.

LOUIS AUGUSTE BLANQUI
1805-1881

*S*urnommé « l'Enfermé » parce qu'il a passé plus de trente-six années de sa vie en prison, Blanqui a été l'un des plus importants théoriciens du socialisme et du syndicalisme révolutionnaire. Ses partisans crurent pouvoir mettre en pratique sa théorie du « *coup de main insurrectionnel* » lors de la Commune de Paris – à laquelle il ne participa pas lui-même... car il avait été arrêté quelques semaines plus tôt.

Jules Ferry
1832-1893

Véritable bâtisseur de la République, cet avocat s'est d'abord illustré dans une virulente dénonciation des scandales politico-financiers du second Empire avant de batailler contre les opposants au régime républicain qui peine à s'installer.

Le père de l'école obligatoire...

Son grand œuvre reste l'instauration de lois scolaires en 1881 et 1882 qui posent les fondements d'une instruction laïque, gratuite et obligatoire. L'école de Jules Ferry, avec son certificat d'études primaires, sera le creuset d'où sortiront «*des générations nouvelles, de ces jeunes et innombrables réserves de la démocratie républicaine formées à l'école de la science et de la raison*». Elle reste aujourd'hui encore le modèle idéal – et nostalgique – d'une instruction publique devenue une éducation nationale.

VICTOR SCHŒLCHER
1804-1893

Sous-secrétaire d'État à la Marine dans le gouvernement provisoire de 1848, il est le principal artisan du décret abolissant définitivement l'esclavage sur le territoire français le 27 avril 1848. Opposant au coup d'État de Napoléon III, il est, comme Victor Hugo, proscrit et s'exile en Angleterre. À la chute du second Empire, il sera élu député de la Martinique puis sénateur.

Le rêve colonial

L'autre dessein ambitieux de Jules Ferry est la constitution d'un vaste et prestigieux empire colonial en Afrique et en Orient, à la recherche de débouchés pour l'économie française. La conquête du Tonkin, coûteuse en vies humaines, le rendra impopulaire. Sa politique coloniale entraînera sa chute politique.

❧ Alfred Dreyfus ❧
1859-1935

Héros malgré lui de notre histoire, Alfred Dreyfus est au centre d'une affaire d'espionnage devenue affaire d'État. Il est surtout la victime de «l'affaire», qui de 1894 à 1906 va diviser profondément la France entre «dreyfusards» et «anti-dreyfusards».

Accusé d'espionnage au profit de l'Allemagne, le capitaine Dreyfus sera condamné et déporté au bagne. Mais très vite des voix s'élèveront, particulièrement celle d'Émile Zola, pour dénoncer une machination destinée à couvrir des officiers de l'état-major en laissant accuser un innocent de confession juive. Au terme d'un long combat judiciaire, Dreyfus sera finalement réhabilité.

«L'affaire» aura révélé l'antisémitisme d'une partie de l'armée et de la population française ainsi que les compromissions du pouvoir politique, elle aura exposé au grand jour les faiblesses, les lâchetés et surtout les divisions de la nation.

Portrait du capitaine Dreyfus en uniforme.

ÉMILE ZOLA
1840-1902

L'écrivain est déjà célèbre quand, en 1897, il prend fait et cause pour le capitaine Dreyfus. En publiant le 13 janvier 1898 dans *l'Aurore* son fameux « *J'accuse... !* », le romancier forge la figure de l'intellectuel engagé dans le combat pour la justice et la vérité.

Député de Carmaux dont il défend ardemment les mineurs en grève, Jean Jaurès s'efforcera sans relâche d'unifier les socialistes français au sein de la SFIO (Section française de l'Internationale ouvrière) qu'il fonde en 1905 après avoir lancé le journal l'Humanité.

le vous dixe : Pas
vous!!

Pas le dernier
mot—

nde la parole !

Après de brillantes études, il devient professeur de philosophie et entre en politique comme candidat républicain. Élu local, il s'engage auprès des grévistes de Carmaux et s'oriente vers le socialisme.

Homme de conviction

Tribun éloquent et pétri d'humanisme, il est de tous les combats (abolition de la peine de mort, cause ouvrière, affaire Dreyfus, anticolonialisme...) et met en garde contre les dangers que la politique revancharde et belliciste fait courir aux nations européennes.

À la veille d'une guerre mondiale

Le pacifisme de Jaurès n'aura pas le temps de porter ses fruits : il meurt assassiné par un militant d'extrême droite le 31 juillet 1914, quelques jours avant le déclenchement de la Grande Guerre qu'il avait tant cherché à éviter.

Aujourd'hui encore Jean Jaurès demeure la conscience d'une gauche française soucieuse de concilier le socialisme et la République.

On retrouve Jean Jaurès et ses qualités de tribun exceptionnel, sur ces dessins aquarellés d'Eloy-Vincent qui devaient servir à illustrer l'histoire de l'éloquence.

❧ Clemenceau ❧
1841-1929

Après la défaite de Sedan en 1870, Georges Clemenceau est parmi ceux qui proclament la république dont il ne cessera dès lors d'être l'un des plus farouches partisans.

Homme de caractère, profondément érudit, il s'impose dans l'arène politique par son tempérament querelleur qui en fait un « tombeur de ministère » et un soutien essentiel au capitaine Dreyfus. Refusant les compromissions, il n'accède que tardivement, en 1906, à l'âge de 65 ans, aux responsabilités ministérielles, et c'est avec la même intransigeance – voire brutalité – qu'il fait alors face aux conflits sociaux.

❧ *« Le Père la Victoire »*

Sa rectitude politique pourtant va assurer sa popularité durant les années de la Grande Guerre. Quand le président Poincaré l'appelle à la présidence du Conseil en novembre 1917, son unique programme dit toute sa détermination : « *Je fais la guerre !* » Pour les Français, Clemenceau est désormais « le Père la Victoire ». Il se retire dans sa Vendée natale en 1920. Ses coups de plume sont des coups de griffes qui lui ont valu son surnom de « Tigre ». Les bons mots de cet ancien journaliste sont demeurés célèbres, comme « *La guerre ! C'est une chose trop grave pour la confier à des militaires.* »

RAYMOND POINCARÉ
1860-1934

*P*résident du Conseil en 1912, puis élu président de la République en 1913, Raymond Poincaré suscite l'Union sacrée contre l'ennemi allemand. Au lendemain de la victoire, il n'a de cesse de faire exécuter intégralement le traité de Versailles, notamment avec l'occupation de la Ruhr. De retour au pouvoir en 1926, il met en œuvre une politique économique drastique et dévalue le franc « germinal » devenu le franc « Poincaré ».

❧ *Les grands personnages* ❧

❧ Maréchal Foch ❧
1851-1929

Après avoir contenu l'offensive allemande en 1914 sur la Marne, Ferdinand Foch dirige les opérations meurtrières de la bataille de la Somme, en 1916.

Il y coordonne les efforts des armées alliées mais des pertes humaines terriblement lourdes lui valent de tomber en disgrâce. De retour au commandement en 1917, il est nommé général en chef des armées alliées en 1918 et tient en échec l'ennemi jusqu'à la victoire finale dont il demeure, avec le maréchal Pétain, l'un des principaux artisans.

Il reçoit, à Rethondes, la capitulation allemande le 11 novembre 1918.

Le maréchal Foch contemple le défilé des troupes victorieuses sur les Champs-Élysées.

MARÉCHAL JOFFRE (1852-1931)

*A*ncien officier des colonies, chef d'état-major des armées depuis 1911, Joseph Joffre dirige les contre-offensives victorieuses de la Marne en décembre 1914 et de la « course à la mer » des armées allemandes. S'il est nommé commandant en chef des armées françaises en décembre 1915, sa promotion est rapidement ternie par la sanglante offensive de la bataille de la Somme. Joffre est remplacé par Nivelle.

❧ Léon Blum ❧
1872-1950

Homme de grande culture – il fut critique littéraire –, considéré comme le fils spirituel de Jean Jaurès, le cofondateur de l'Humanité *entra en politique lors de l'affaire Dreyfus.*

Auditeur au Conseil d'État, il a été durant la Grande Guerre ministre des Travaux publics et du Ravitaillement dans le gouvernement d'Union sacrée. Lors du congrès de Tours en 1920, Léon Blum est l'un des plus farouches opposants à l'adhésion de la SFIO à la IIIᵉ Internationale et se pose en gardien de la « vieille maison » socialiste, acceptant ainsi l'exercice du pouvoir. Il est régulièrement attaqué par la droite antisémite et, en février 1936, il est même agressé par des membres de l'Action française alors qu'il croise un rassemblement de ce mouvement.

❧ L'aventure du Front populaire

Maître d'œuvre du rassemblement du Front populaire en 1936, il devient, après la victoire aux élections législatives, chef du gouvernement et se fait l'artisan de profondes réformes sociales. Confronté aux difficultés économiques, hésitant sur le soutien à apporter aux républicains espagnols – ce qui mène au départ des communistes du gouvernement –, il démissionne en juin 1937 dans une atmosphère de violente hostilité.

❧ Dans la tourmente de la Seconde Guerre mondiale

Il refusera en 1940 de voter les pleins pouvoirs au maréchal Pétain, sera jugé par Vichy comme « responsable de la défaite » et déporté en 1943. De retour en 1945, il dirige le Gouvernement provisoire de décembre 1946 à janvier 1947 – avant l'instauration de la IVᵉ République – puis se retire de la vie politique.

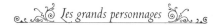

❧ *Les grands personnages* ❧

Léon Blum à la tribune en 1936.

Charles de Gaulle
1890-1970

Pour les Français, Charles de Gaulle est l'homme de l'appel du 18 juin 1940, qui a refusé la capitulation et incarné la Résistance.

Une carrière militaire brillante

Élève de Saint-Cyr, combattant de la Première Guerre mondiale, il est fait colonel en 1937 et commande un régiment de chars au début de la Seconde Guerre mondiale. S'opposant à l'armistice de Pétain, il rassemble autour de lui les « Forces françaises libres » et participe à la libération du pays. Le général de Gaulle avait « *une certaine idée de la France* », de son génie et de sa grandeur, il a su la faire accepter aux Français et transformer la défaite en victoire.

PHILIPPE PÉTAIN
1856-1951

Au commandement en chef en 1917, Philippe Pétain a renforcé le moral des troupes – et ainsi arrêté les mutineries. Nommé maréchal de France en 1918, le vainqueur de Verdun a eu longtemps rang de héros national. Après la défaite de 1940, bien des Français pensent qu'il peut « *redresser le pays* ».

Las, l'armistice ouvre la voie de la collaboration avec le régime nazi, tandis que Pétain s'arroge tous les pouvoirs. Jugé puis condamné à mort à la Libération, il fut gracié par de Gaulle et mourut dans sa prison.

L'entrée en politique

La guerre n'est pas encore finie et déjà il prépare, au sein du Gouvernement provisoire, la reconstruction politique du pays dont il est le chef incontesté à la Libération. Mais les vieilles institutions, le « jeu des partis » ne lui conviennent pas et il choisit dès 1946 de se retirer de la vie politique pour une «traversée du désert» à Colombey-les-Deux-Églises.

⚜ Une Vᵉ République en 1958

Auréolé de la gloire du vieux sage, il attend son heure : les «événements» d'Algérie provoquent son retour, à la demande du président Coty. Forgeant une nouvelle Constitution taillée à sa mesure, il affaiblit le Parlement pour donner à la France un exécutif fort. Premier président de la République élu au suffrage universel, «le grand Charles» devient pour les Français plus qu'un chef d'État, une véritable figure tutélaire, presque paternelle.

La Vᵉ République reste indissociable du général de Gaulle, comme sur cette affiche électorale de la fin des années 1960.

⚜ Une nouvelle génération

En mai 1968, la jeunesse française ne se sent plus liée à cet homme d'une autre époque : ce sont ces «petits enfants» qui fragiliseront la statue du Commandeur.

Conforté par la victoire de son parti aux élections de juin 1968, il décide de se retirer de la vie politique suite au «non» au référendum d'avril 1969 sur la réforme du Sénat, et meurt l'année suivante.

❧ Jean Moulin ❧
1899-1943

*Ancien préfet de l'Eure-et-Loir, Jean Moulin choisit très tôt
de rejoindre le général de Gaulle à Londres.*

C'est à lui que le chef de la France libre confie la mission d'organiser la Résistance en unifiant les différents réseaux pour les rendre plus efficaces. En 1942, il est parachuté en Provence, crée l'armée secrète et le Conseil national de la Résistance, qui regroupe huit mouvements différents. Arrêté par les Allemands près de Lyon en 1943, Jean Moulin sera torturé et mourra dans le train qui le conduit en Allemagne.

Le transfert de ses cendres en 1964 au Panthéon, salué par un discours très émouvant d'André Malraux, fera de lui le symbole de la résistance à l'occupant.

LES RÉSISTANTS

En créant en 1946 l'ordre de la Libération, le général de Gaulle voulait distinguer celles et ceux qui s'étaient battus pour la France libre. Ils sont 1 057 (dont six femmes seulement) à avoir été faits compagnons de la Libération, et parmi eux beaucoup de militaires. Pourtant, ils furent bien plus nombreux à s'illustrer dans les rangs de la Résistance intérieure par des actions militaires ou des sabotages, mais aussi la désobéissance au régime de Vichy, la création de tracts ou de presse clandestine, la participation aux filières pour cacher les persécutés.

Citons, parmi des milliers, ceux que la mémoire collective a plus particulièrement retenus : Lucie et Raymond Aubrac, Germaine Tillion, Madeleine Fourcade, Henri Rol-Tanguy, Pierre Brossolette, Henri Frenay, Honoré d'Estienne d'Orves, les colonels Passy, Rémy et Fabien, Jean-Pierre Vernant, Missak Manouchian...

Maréchal Leclerc
1902-1947

À l'armistice de 1940, Philippe de Hauteclocque refusa de déposer les armes et poursuivit la lutte dans les rangs de la France libre.

Il a commencé sa carrière militaire en 1925 au Maroc et, en 1940, fait prisonnier, il tente de s'évader à deux reprises avant de pouvoir rejoindre de Gaulle à Londres. Il parvient à rallier le Cameroun et le Gabon à la France libre.

La libération de Paris

À la tête de la 2e division blindée, il mène des combats victorieux en Afrique du Nord, du Tchad à la Tunisie. Il débarque avec les Américains en Normandie et entre le premier dans Paris qu'il libère avant de poursuivre sa marche jusqu'à Strasbourg.

Commandant des troupes françaises en Indochine jusqu'à la capitulation du Japon, il trouve la mort dans un accident d'avion en Afrique du Nord en 1947 et il est élevé à la dignité de maréchal de France à titre posthume.

Célèbre pour son entrée dans Paris libéré à la tête de sa division blindée, le maréchal Leclerc donna son nom à un char d'assaut français : le char Leclerc.

Pierre Mendès France
1907-1982

Pierre Mendès France à la tribune du congrès du Parti radical en 1955.

Figure de la gauche française, Pierre Mendès France entre dans le Gouvernement provisoire en 1944 au ministère de l'Économie nationale, mais c'est la décolonisation qui sera son principal cheval de bataille.

Combattant de la France libre

Avocat et plus jeune député de France en 1932 sous l'étiquette radicale-socialiste, il est sous-secrétaire d'État au Trésor dans le cabinet Blum en 1938. Au début de la guerre, il s'engage dans l'aviation. Par la suite, il est arrêté mais parvient à s'évader. Il rejoint de Gaulle à Londres et il combat dans le groupe d'aviation *Lorraine*.

Rénover la gauche française

S'élevant contre la guerre menée en Indochine, il est nommé président du Conseil en 1954, peu après la défaite de Diên Biên Phu, et signe en juillet de cette année les accords de Genève. Mais les premières violences en Algérie auront raison de son gouvernement. Il dut abandonner aussi ses espoirs de voir créée une Europe de la défense. Opposant à de Gaulle et à son dessein de Ve République, « PMF » tente de former une nouvelle gauche avec laquelle il espère moderniser les institutions françaises. C'est dans ce sens qu'il soutient la candidature de François Mitterrand à l'élection présidentielle en 1974 puis en 1981.

Les grands personnages

❧ Robert Schuman ❧
1886-1963

Père fondateur de l'Europe, Robert Schuman œuvra pour le rapprochement franco-allemand et préconisa la création de la CECA, la Communauté européenne du charbon et de l'acier – prélude à l'Union européenne.

Député de la Moselle à plusieurs reprises, il participe, après-guerre, à la création du Mouvement républicain populaire (MRP) et assume la charge de nombreux portefeuilles ministériels.

❧ Un des « pères de l'Europe »

Soucieux d'assurer une paix durable après deux guerres mondiales, il voulut dépasser les nationalismes avec des institutions supra-nationales capables de servir l'intérêt commun. Il se fait le défenseur du plan Jean Monnet pour la création de la CECA, mais en 1954, l'Assemblée nationale rejette son projet de Communauté européenne de la défense (CED). Le traité de Rome en 1957 est l'ultime étape de son parcours vers la Communauté économique européenne (CEE). Robert Schuman fut, en 1958, le premier président du Parlement.

JEAN MONNET
1888-1979

*M*inistre du Commerce du Gouvernement provisoire, puis premier commissaire au Plan – il a fait adopter le « plan de modernisation et d'équipement de l'économie française » – et cheville ouvrière des travaux qui mèneront à la création de la CECA, Jean Monnet est avec Robert Schuman le véritable maître d'œuvre de l'Europe qu'il souhaitait voir s'unir en « États-Unis d'Europe ». Projet audacieux qui ne verra pas le jour, pas plus que l'Europe de la défense qu'il appelait de ses vœux, mais qui prélude à l'aventure de la Communauté européenne.

Georges Pompidou
1911-1974

Chargé de mission au ministère de l'Information de 1944 à 1946, puis membre du Conseil d'État, il est alors peu connu du grand public.

Successeur à l'Élysée du général de Gaulle dont il avait été le Premier ministre (1962-1968), Pompidou a su profiter de la croissance des Trente Glorieuses pour moderniser les infrastructures industrielles de la France. Continuateur de la politique gaulliste, il s'efforce de concilier l'indépendance nationale et la poursuite de la construction européenne. Il meurt de maladie avant la fin de son mandat. Normalien, il avait publié une *Anthologie de la poésie française*. On lui doit la création du musée d'art contemporain qui porte son nom.

Valéry Giscard d'Estaing
né en 1926

Chef de file des Républicains indépendants (mouvement libéral), il est élu président de la République en 1974.

Son septennat est marqué par de profondes réformes : abaissement de la majorité de 21 à 18 ans, légalisation de l'interruption volontaire de grossesse (loi Veil), autorisation du divorce par consentement mutuel, restructuration de l'enseignement secondaire (loi Haby)...

La construction européenne

Sur le plan européen, il fait du couple franco-allemand le moteur de la construction européenne. Battu à l'élection de 1981 par Mitterrand, il est le maître d'œuvre du projet de Traité constitutionnel européen.

Les grands personnages

François Mitterrand
1916-1996

Premier président de gauche de la Ve République après des tentatives à plusieurs élections présidentielles, il contribue, en 1971 lors du congrès d'Épinay, à la formation du Parti socialiste – dont il prend la tête.

Entré jeune dans l'arène politique, François Mitterrand fut d'abord attiré par les idées nationalistes et travailla pour le gouvernement de Vichy avant de rejoindre la Résistance. Il a été élu une première fois député en 1946 avant d'occuper plusieurs postes ministériels sous la IVe République. Opposant à de Gaulle dont il dénonce « *le coup d'État permanent* », il se présente pour la première fois à l'élection présidentielle en 1965. Mais il lui faudra attendre le 10 mai 1981 pour accéder enfin au pouvoir.

Du « *programme commun* » à l'austérité

Avec lui – et le «programme commun» aux communistes, aux socialistes et radicaux de gauche – ce sont les aspirations de la gauche qui triomphent, et il s'efforce de ne pas les décevoir en adoptant des mesures importantes, à commencer par l'abolition de la peine de mort et l'allongement des congés payés. Il lui faudra toutefois se montrer pragmatique, dès 1983, face aux difficultés économiques, puis accepter la cohabitation, après la défaite aux élections législatives. Son charisme et son habileté politique lui valent d'être réélu en 1988.

Avec le général de Gaulle, Mitterrand est l'une des plus remarquables figures politiques de l'après-guerre. Il le doit à sa forte personnalité, à sa profonde culture qui rassurait les Français, à son autorité qui lui permit de maintenir sinon l'union de la gauche, du moins celle du Parti socialiste, mais aussi à ses talents de tacticien que l'on disait volontiers machiavélique.

❧ Jacques Chirac ❧
né en 1932

Chef du RPR, élu président de la République en 1995 puis réélu, pour un quinquennat cette fois, en 2002.

Il a toujours bénéficié d'une grande popularité auprès des Français et c'est sans doute parce qu'il s'est toujours efforcé de leur ressembler en donnant de lui l'image d'un bon vivant, amical et spontané, gaffeur au besoin. Il semble avant tout animé par la compétition politique dans laquelle il maîtrise tous les coups pour abattre ses adversaires, lesquels sont nombreux... même dans son propre camp !

❧ Ministre, maire de Paris... et président

Collaborateur de Pompidou, il participe aux accords de Grenelle en 1968. Il occupe, dès 1971, plusieurs postes ministériels et devient Premier ministre de Giscard d'Estaing en 1974, avant de laisser sa place à Raymond Barre. Il est ensuite élu maire de Paris et le reste durant trois mandats.

Les « affaires » qui ont émaillé sa carrière n'ont jamais altéré son image auprès des Français qui lui savent gré d'avoir toujours défendu la construction européenne et plus encore d'avoir maintenu face aux Américains une attitude ferme concernant la guerre en Irak.

Six présidents de la Vᵉ République. De gauche à droite : G. Pompidou, V. Giscard d'Estaing, F. Mitterrand, J. Chirac, N. Sarkozy et F. Hollande.

❧ *Les grands personnages* ❧

Nicolas Sarkozy
né en 1955

Avocat de formation, entré très tôt en politique,
c'est un président aux méthodes et discours atypiques.

Au sein du RPR, Nicolas Sarkozy commence sa carrière sous l'influence de Jacques Chirac et de Charles Pasqua. À 28 ans, il conquiert la mairie de Neuilly et entre au conseil des Hauts-de-Seine. En 1993, il devient ministre du Budget d'Édouard Balladur, dont il soutient la candidature à la présidentielle. Après avoir pris la direction du RPR (1997), il joue un rôle important dans la réélection de Chirac en 2002 et devient ministre de l'Intérieur, puis de l'Économie. Face à une gauche divisée, il est confortablement élu président de la République en mai 2007 sur un programme de « rupture ». Il ouvre le gouvernement à des personnalités de gauche, met en chantier des réformes à un rythme jugé brutal par l'opposition, et doit composer avec la crise économique et financière mondiale.

François Hollande
né en 1954

Magistrat à la Cour des comptes et avocat, il débute comme chargé
de mission de François Mitterrand de 1981 à 1982.

En 1983, il est directeur de cabinet de Max Gallo et de Roland Dumas, alors porte-parole du gouvernement. Professeur d'économie, député de Corrèze, maire de Tulle et président du conseil général de Corrèze, il a été premier secrétaire du PS, à la suite de Lionel Jospin, de 1997 à 2008. En 2012, il est désigné candidat à l'élection présidentielle à l'issue des primaires du parti socialiste face à Martine Aubry. En mai, il bat Nicolas Sarkozy et devient le 24e président de la République.

Crédits photographiques

6 Ph. © Ch. Boisvieux/Hemisphère.fr • 8 Musée du Louvre, Paris - Ph. © J.G. Berizzi/RMN • 10 Ph. S. Guiley-Lagache © Archives Larbor • 12 Bibliothèque municipale de Saint-Omer - Ph. Joël Blondel © Archives Larbor • 13 Château de Versailles et de Trianon, Versailles - Ph. © G. Blot/RMN • 15 Musée du Louvre, Paris - Ph. Hubert Josse © Archives Larbor • 16 Bibliothèque Sainte Geneviève, Pairs - Ph. Coll. Archives Larousse • 17 Archives nationales, Paris - Ph. © Archives Nathan • 18 Ph. Coll. Archives Larbor • 20 Musée national des Thermes et de l'Hôtel de Cluny, Paris - © Archives Larbor • 22 Ph. Coll. Archives Larbor • 25 Ph. Coll. Archives Larbor • 26 Ph. Coll. Archives Larbor • 27 Ph. Coll. Archives Larousse • 29 Musée de l'Histoire de France - Archives nationales, Paris - Ph. Jean-Loup Charmet © Archives Larbor • 31 Ph. Coll. Archives Nathan • 32 Château de Plessis-lès-Tours - Ph. J.J. Moreau © Archives Larbor • 35 Ph. Coll. Archives Nathan • 36 Musée Crozatier, Le Puy - Ph. R. Basset © Archives Larbor • 39 Musée Condé, Chantilly - Ph. L. Joubert © Archives Larbor • 40 Ph. Coll. Archives Larbor • 42 Chancellerie des Universités de Paris - Ph. © Archives Larousse • 44 Château de Versailles et de Trianon, Versailles - Ph. Hubert Josse © Archives Larbor • 45 Ph. Coll. Archives Larousse • 46 Ph. Coll. Archives Nathan • 48 Musée du Louvre, Paris - Ph. Hubert Josse - © Archives Larbor • 50 Ph. Coll. Archives Larbor • 51 Château de Versailles et de Trianon, Versailles - Ph. H. Josse © Archives Larbor • 53 Musée des Beaux-Arts, Dijon - Ph. Coll. Archives Larbor • 55 Musée des Arts Décoratifs, Bordeaux - Ph. Luc Joubert © Archives Larbor • 56 Château de Schönbrunn, Vienne - Ph. Coll. Archives Larbor • 57 Musée Carnavalet, Paris - Ph. Michel Didier © Archives Larbor • 59 Musée Granet, Palais de Malte, Aix-en-Provence - Ph. R. Bonnardel © Archives Larbor • 60 Musée Carnavalet, Paris - Ph. Jeanbor © Archives Larbor • 61 Musée du Louvre, Paris - Ph. Hubert Josse © Archives Larbor • 62 Ph. Coll. Archives Larbor • 65 Musée national des châteaux de Malmaison et de Bois-Préau - Ph. Hubert Josse © Archives Larbor • 66 Ph. Coll. Archives Larousse • 68 Ph. Coll. Archives Larbor • 70 Ph. Coll. Archives Larbor • 71 Collection particulière - Ph. Jean-Loup Charmet © Archives Larbor • 72 Ph. Coll. Archives Larbor • 74 © Archives Larbor • 75 Ph. Coll. Archives Larousse • 76 Ph. Coll. Archives Larbor • 79 Ph. Gerschel Coll. Archives Larousse• 80 et 81 - Musée Jean-Jaurès, Castres - Ph. Jack Studio © Archives Larbor DR • 83 Musée de l'Armée, Paris - Ph. © Archives Larbor – DR • 85 Ph. © Selva/Leemage • 87 Collection particulière © Archives Larbor • 89 Ph. © Archives Larbor • 90 Ph. © Dominique Berretty/Rapho/Gamma Rapho • 94 Ph. © DSK/AFP, sauf F. Hollande : © Éric Féferberg/AFP

Imprimé en Espagne par Macrolibros
Dépôt légal : février 2013
310910-01/11021313-janvier 2013